World History
세 계 사
Comics

Why?

세계 대전과
전후의 세계

예림당

Why?

세계 대전과 전후의 세계

2010년 4월10일 1판1쇄 발행
2012년 5월25일 1판16쇄 발행

회장 | 나춘호
펴낸이 | 나성훈
펴낸곳 | (주)예림당
등록 | 제4-161호
주소 | 서울특별시 강남구 삼성동 153
구매 문의 전화 | 예림M&B 561-9007
　　　　　팩스 | 예림M&B 562-9007
책 내용 문의 전화 | 3404-9238
홈쇼핑 문의 전화 | 3404-9286
http://www.yearim.kr
ISBN 978-89-302-0090-5 73900
ⓒ 2010 예림당

감수자 | 조한욱

서강대학교 대학원 사학과를 졸업하고 미국 텍사스 주립대학교 사학과에서 박사 학위를 받았습니다. 〈역사와 문화〉 책임편집자, 문학사학회 회장을 역임하고, 현재 한국교원대학교 역사교육과 교수로 재직 중입니다. 저서로는 〈문화로 보면 역사가 달라진다〉〈서양 지성과의 만남〉 등이 있으며 역서로는 〈바이마르 문화〉〈고양이 대학살〉〈문화로 본 새로운 역사〉〈프랑스 혁명의 가족 로망스〉 등이 있습니다.

글쓴이 | 그림나무

그림나무는 아이들의 꿈과 희망을 글과 그림으로 표현하는 작은 스튜디오입니다. 주요 작품은 〈판타지 수학대전 시리즈(11권)〉〈황금의 씨앗 시리즈〉〈부자가 된 신데렐라 거지가 된 백설공주〉〈인기만점 백설공주 매력만점 신데렐라〉〈만화 군주(전 3권)〉〈안녕 프란체스카(전 3권)〉〈열공(인체 편)〉〈광야〉 등이 있습니다.

그린이 | 크레파스

어린이에게 꿈과 희망을 심어 주기 위해 재미있고 유익한 어린이 만화를 그리는 창작 집단입니다. 펴낸 책으로는 〈지식 똑똑 경제 리더십 탐구-이해와 배려〉〈지식 똑똑 경제 리더십 탐구-긍정의 힘〉〈SOS! 서바이벌 응급처치-위험천만 정글 대탐험〉〈만화 루이 브라이 이야기〉〈만화 윈스턴 처칠 이야기〉〈만화 피카소 이야기〉〈만화 넬슨 만델라 이야기〉 등이 있습니다.

| STAFF |

편집 상무 | 유인화
편집 이사 | 백광균
편집 | 연양흠/장효순 박효정 이나영 이연옥
　　　최혜원 최은송 김주연 문지연
사진 | 김창윤/유수환
세밀화 | 예스아트 원성현
디자인 | 이정애/이보배 박정수 김신애
　　　　강임희 이은주
홍보 | 박일성/김선미 이미영 이예원 김진영
제작 | 정병문/신상덕 곽종수 이기성
마케팅 | 예림M&B
특판팀 | 채청용/서우람 최순예

* 사진 설명 : 표지 위/제1차 세계 대전 참상(좌), 원자 폭탄 폭발 장면(우)
　　　　　　표지 아래, 2쪽/피의 일요일 사건 기록화

생각의 지경을 넓혀라

인터넷의 발달로 이제 우리는 세계 곳곳에서 일어나는 일을 실시간으로 알 수 있습니다. 바야흐로 세계화, 국제화 시대가 도래한 지도 이미 오래지요. 때문에 이제 정치, 경제, 문화 등 어느 것 하나 다른 나라들과의 교류 없이 이루어지는 게 없습니다. 이처럼 전 세계가 서로 긴밀하게 맞물려 있는, 세계화 시대를 살고 있는 현대인이라면 세계 여러 나라에 대해 알아야 할 필요가 있습니다. 그렇다 해도 그 나라의 시시콜콜한 역사까지 알 필요는 없지 않느냐고요?

그렇지 않습니다. 과거의 업적과 사건이 쌓이고 쌓여 현재가 만들어진 것이기 때문에 어떤 나라를 잘 알려면 그 나라의 역사를 살펴봐야 합니다. 그리고 세계화 시대에 세계 역사를 잘 안다는 것은 큰 장점이 아닐 수 없습니다.

〈Why? 세계사〉는 세계화 시대를 살아가는 어린이들이 꼭 알아야 할 세계사 지식을 두루 담고 있습니다. 어렵고 복잡한 세계사를 어린 독자들이 이해하기 쉽도록 전문가들이 오랜 기간에 걸쳐 간추린 내용을 만화로 꾸며냈습니다.

틈틈이 보여 주는 유물·유적 사진이나 주요 사건에 대한 자세한 설명은 여러분의 지적 호기심을 채우기에 충분합니다. 또한 세계 곳곳에서 일어났던 일들이 오늘을 살고 있는 우리들에게 어떤 영향을 끼쳤는지 알 수 있도록 세계사의 흐름을 일목요연하게 정리했습니다.

이 책을 통해 세계 여러 나라의 생활 모습과 저마다 다른 생각들을 배우고 이해하면서 여러분 생각의 지경도 더욱 넓혀지리라 확신합니다. 아울러 세계 곳곳의 다양한 사람들이 어떤 방식으로 삶을 살았는지 비교해 본다면 논리적인 사고 훈련에도 큰 도움이 될 것입니다. 모쪼록 이 책을 통해서 여러분이 다른 친구들보다 세계사에 한발 먼저 다가설 수 있기를 기대합니다.

2010년 4월   조한욱(한국교원대학교 교수)

CONTENTS

1 제1차 세계 대전의 발발   8

2 러시아 혁명과 사회주의   38

3 영국에 맞선 인도의 독립 운동   64

4 확대되는 민족주의 운동   90

5 히틀러와 무솔리니, 그리고 일본 제국   120

6 제2차 세계 대전과 국제 연합   156

일러두기
• 세계 역사에 대한 최근 학계의 의견을 충실히 반영하였습니다.
• 중학교 세계사 교육 과정과 연계하여 선행 학습에 도움이 되도록 하였습니다.
• 〈세계사 돋보기〉는 특별한 문물이나 문화를 주제로 정해서 그 역사를 상세히 알아보는 꼭지입니다.
• 〈세계사 펼쳐보기〉는 역사적으로 큰 의미가 있는 특별한 사건에 대한 깊이 있는 정보를 제공하는 꼭지입니다.
• 〈세계사 연표〉는 우리 역사와 세계 역사를 한눈에 비교할 수 있도록 꾸며 한국사와의 연계 학습을 가능하게 하였습니다.
• 〈알쏭달쏭 세계사〉는 문제를 풀면서 재미있게 읽은 핵심적인 내용을 다시 한 번 떠올려 기억할 수 있게 하였습니다.
• 〈찾아보기〉를 두어 주요하고 핵심적인 내용을 쉽게 찾도록 하였습니다.
• 이 책의 띄어쓰기와 맞춤법은 국립국어원의 표준국어대사전을 기준으로 하였습니다.

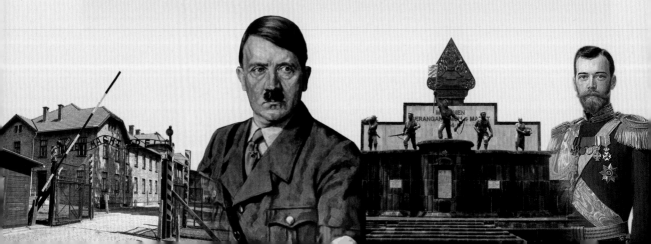

CHARACTER

미르

전쟁 게임을 좋아하는 남자아이. 하지만 시간 여행을 통해 전쟁을 직접 경험한 뒤로 전쟁의 무서움을 깨닫는다.

요제프

전쟁의 신 마르스 님의 전령. 전쟁 게임을 좋아하는 아이들에게 전쟁의 무서움을 알려 주기 위해 찾아왔다.

아미

모험을 좋아해 모험 소녀라는 별명을 가진 여자아이. 시간 여행을 하는 동안 자신을 놀리는 미르와 자주 티격태격한다.

선생님

역사 연구 동아리 회원으로, 아이들이 시간 여행을 하게 되자 좋은 리포트를 쓸 수 있다는 생각에 따라 나선다.

세계 대전과 전후의 세계

러시아 11월 혁명

1917년에 일어난 사회주의 혁명. 이로써 소비에트 사회주의 공화국 연방이 성립됨

폴란드에 있는 아우슈비츠 수용소

중국 5·4 운동

1919년에 중국 베이징에서 학생들이 일으킨 반제국주의, 신문화 운동

아돌프 히틀러

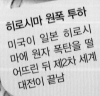

히로시마 원폭 투하

미국이 일본 히로시마에 원자 폭탄을 떨어뜨린 뒤 제2차 세계 대전이 끝남

모한다스 간디

제1차 세계 대전의 발발

에잇, 탕탕!

오예, 한 명 쓰러뜨리고!

미르야, 뭐 해? 선생님께서 기다리셔.

조금만 기다려 봐. 금방 끝나.

탕

탕

뭐야, 학교에서 게임하는 거야?

자료 찾아오랬더니 게임하고 있으면 어떡해! 그러다 걸리면 어쩌려고?

조용! 지금 중요한 순간이야.

이 게임을 가장 먼저 성공한 사람에게 특별 해외여행을 시켜 준다고 했거든.

해외여행?

응. 유럽과 아프리카, 아시아를 모두 구경할 수 있대.

와, 정말? 나도 가고 싶다!

그래서 그렇게 열심히 하는구나.

탕

그런데 게임이 좀 무섭다. 사람에게 총 쏘고 폭탄 던지고….

게임인데 뭐 어때?

그래, 돌진! 저것만 폭파시키면 돼!

깜짝이야!

따르르링

좋아, 다 깼어!

이벤트 결과를 발표합니다.

으, 내가 1등이어야 하는데….

이그, 못 말려!

축하합니다. 미르짱 님은 본 게임을 가장 먼저 성공하셔서 특별 해외여행 이벤트의 주인공으로 당첨되셨습니다.

야호! 해냈어!

공부를 그렇게 열심히 해 봐라.

으하하! 밤낮을 꼬박 새며 게임한 보람이 있어!

참 대단하다. 어쨌든 당첨된 거 축하해.

나만 해외여행 가게 돼서 미안! 히히히!

하나도 안 부럽거든! 선생님한테 혼나기 전에 빨리 자료나 찾아!

잠깐 기다려 봐. 어디 보자…. 상품을 받으려면 1004-1004로 전화하라고?

1004-1004? 재밌는 번호네?

얼른 전화해야지! 유럽아, 기다려라. 내가 간다!

삑삑

피리링 피리링

빨리빨리!

안녕하세요? ID 미르짱, 미르 님.

어라? 제 이름을 어떻게 아세요?

특별 이벤트에 당첨되신 것을 진심으로 축하드립니다. 상품은 바로 유럽과 아프리카, 아시아의 과거를 둘러보며 전쟁에 대해 다시 생각해 보는 시간 여행입니다.

뭐, 뭐라고요?

왜 그래?

조금 이상해, 아미야.
여행은 여행인데 시간
여행이래.

뭐? 시간 여행?

잠깐만, 더
들어 보고.

상품을 받으시려면 지금
당장 1004번을 누르세요.
받으실 수 있는 기회는
지금 단 한 번뿐입니다.

지금 당장 받을지 말지
결정해야 한다는데?

시간 여행이라니
좀 수상한데?

그렇지?
이걸 어쩐다…

으음….

미르,
이 녀석!

다다 다다

어, 이 소리는!

선생님이셔!

으아! 걸리면
안 돼!

꾹

들키면 큰일 나.
빨리빨리!

에잇, 나도
모르겠다!

1004

11

으아악!

꺄악!

미르, 너 또 게임하고 있었지! 이번엔 절대 용서 못…!

지잉

으윽! 아미야, 괜찮아?

눈이 부셔서 잘 떠지지가 않아.

얘들아, 이게 무슨 일이니?

너, 넌 누구니?

두

두둥

반가워요, 여러분. 전 하늘나라에서 온 요제프라고 해요. 전쟁의 신 마르스 님의 전령이자 시간 여행의 안내자입니다.

너 혹시 휴대 전화에서 나온 거야?

하늘나라? 그럼 이미 죽은 영혼?

응!

그런데 여긴 왜 나타난 거지?

미르에게 특별한 여행을 시켜 주기 위해 왔어요.

미르에게?

나에게?

마르스 님께서 걱정이 많으세요. 요즘 어린이들이 전쟁을 너무 쉽고 가볍게 생각한다고요.

마르스가 누구야?

전쟁의 신이라잖아.

전쟁이 무섭다는 건 모두 알고 있지만, 많은 어린이는 자신과는 상관없는 일이라며 무관심하죠.

어제 중동에서 발생한 전쟁으로 사망자가 속출하는 가운데….

우리나라 얘기도 아니네.

소녀시대 안 나오나!

* 전령 : 명령을 전하는 사람

13

그리고 요즘 아이들은 사람에게 아무렇지 않게 총을 쏘고 파괴를 일삼는 게임에 빠져들면서,

두 두 두 두

헤헤, 다 때려 부숴라!

전쟁을 단순한 오락과 놀이로 생각하는 아이들이 많아졌어요.

딱 미르 네 얘기다.

헉!

그래서 그런 아이들에게 전쟁의 참혹함과 진정한 무서움을 알려 앞으로 어른이 되었을 때 전쟁을 일으키지 않도록 하려고 온 거예요.

그럼 아까 내가 한 게임이 혹시…?

그래, 마르스 님의 명령으로 만들어진 게임이야. 너 같은 아이들을 골라내기 위해서.

그, 그래 좋은 일이긴 한데…

이걸 믿어, 말아?

무척 의미 있는 일이죠.

그러니까, 시간 여행을 통해서…

인류 역사상 가장 처참했던 전쟁인 '제1, 2차 세계 대전' 당시의 곳곳을 다니며 체험하게 될 겁니다.

미르야, 왜 그러니?

ㅇㅇ…!

미르야, 어디 아파?

부들부들

우아, 최고다! 시간 여행이라니! 난 그냥 게임만 했을 뿐인데, 으하하하!

뭔지는 알고 좋아하는 거니?

아미야, 같이 가자! 선생님도 같이 가요, 네? 같이 가도 되지, 요제프?

물론 환영이지!

가야지! 내 별명이 모험 소녀잖아!

흠, 역사 연구 동아리 리포트감으로 최고인데…

근데 어떻게 간다는 거야? 그리고 전쟁이 벌어지는 곳이라면 위험하지 않을까?

그런 건 걱정 마세요.

이 북을 치면 시공간이 열려 이동하게 돼요.

끄욱

위익

위익

그리고 이건 일종의 가상 현실 체험일 뿐이니까요!

그래, 가자. 너희만 보내려니 안심이 안 된다.

이번 기회에 최고의 리포트를 쓰는 거야!

그럼 떠나 볼까요?

둥둥둥

자, 이곳을 통과하면 돼요.

좋아, 출발!

1914년 보스니아-헤르체고비나 사라예보

여, 여긴?

여긴 1914년 보스니아-헤르체고비나의 수도 사라예보야!

정말 과거에 와 있는 거야? 그것도 유럽에?

그렇다니까!

저 사람들을 좀 봐!

저, 정말이네?
1914년이면 제국주의가 한창 유행할 때야.

제국주의요?

제국주의는 서양의 강대국이 약소국을 침략하여 자신들의 식민지로 만드는 약육강식의 정책이다. 주로 19세기 말부터 20세기 초까지 행해졌다.

한마디로 아주 이기적인 생각이지.

약한 나라를 괴롭히다니….

1900년대 초반 영국, 프랑스 등 전통적인 유럽 선진국들의 식민지 경쟁에 미국, 독일, 일본 등이 뒤를 이으며 세계는 제국주의 나라들의 싸움터가 되어 버렸다.

영국

독일

중국

카메룬

한국

필리핀

일본

미국

식민지가 된 나라는 주로 중국이나 우리나라, 인도 같은 아시아 나라나 아프리카 나라였어.

우리나라도요?

그럼 우리나라가 일본의 식민지가 된 것도 제국주의의 영향 때문이었겠네요?

응. 일본은 일찍이 서구의 기술을 받아들여 발전을 이룬 다음 제국주의 대열에 끼어들었거든.

그럼 이 제국주의는 어쩌다 생긴 거예요?

그건…

엥?

에헴! 흠, 흠!

그건 시간 여행의 안내자인 내가 설명해 줄게.

뭐, 그렇게 똑똑해 보이지 않는데.

네가?

헉, 내 실력을 의심하다니. 이건 나를 보낸 마르스 님을 모욕하는 거라고!

그래. 그럼 어디 한번 해 봐.

영국에서 산업 혁명이 시작된 건 알지? 이후 유럽과 미국 등에서도 산업 혁명이 일어나 상품의 생산량이 늘어났어.

영국

그러자 자기 나라에 넘쳐나는 생산품을 판매할 시장으로서 식민지를 만들기 시작한 거지.

이 많은 물건을 어디에 팔지?

식민지를 만들어서 거기에 팔아야겠다.

요제프, 대단한데?

우아, 똑똑한걸?

이 정도는 기본이지. 역사는 줄줄 꿰고 있거든.

덧붙여 말하자면 식민지가 된 나라들은 제국주의 나라들에게 경제적으로만 약탈당한 게 아니었어.

그럼요?

* 산업 혁명 : 18세기 후반부터 약 100년 동안 유럽에서 일어난 생산 기술과 그에 따른 사회의 큰 변화

＊ 베를린 회의 : 1884~1885년에 열린 회의로, 콩고의 자유국 성립을 인정하고 나머지 아프리카 나라들의 분할을 허락함. 1878년에 열린 베를린 회의와 구분하기 위해 '베를린 서아프리카 회의'라고도 함

남의 땅을 멋대로 갈라놓고 차지하다니, 기가 막혀!

맞아! 나빴어!

그뿐만이 아니야. 제국주의에 빠진 세계는 점점 더 상대방을 정복해야 할 대상으로 바라보게 됐어.

그러면서 힘으로 약한 쪽을 억압하려는 생각이 자연스럽게 퍼졌지.

그래서 강대국들은 서로 편을 가르며 견제하기 시작했어.

애들도 아니고, 편 갈라 싸우기나 하다니….

그러게 말이야.

독일이 중심이 되어 이탈리아, 오스트리아와 함께 1882년에 삼국 동맹을 맺자, 영국과 프랑스, 러시아가 그들을 견제하기 위해 삼국 협상을 맺었다. 이후 유럽은 삼국 동맹국과 삼국 협상국으로 나뉘어 대립했다.

눈에 거슬리는 프랑스…!

삼국 동맹국

오스트리아

독일

이탈리아

독일, 너희에게 당한 수모는 잊지 않겠다!

프랑스

삼국 협상국

러시아

영국

독일과 프랑스는 왜 사이가 안 좋았어?

1870년에 일어난 프로이센-프랑스 전쟁 때문이야. 이 전쟁에서 프랑스는 독일에 배상금과 영토를 내주어야 했거든.

* 오스트리아: 유럽 대륙 중앙에 있는 나라로, 13세기 말부터 합스부르크 왕가가 지배하기 시작함. 1815년 독일 연방, 1867년 오스트리아-헝가리 이중 제국, 1918년 공화국, 1938년 독일에 합방, 1945년 소련 점령을 거쳐 1955년 독립 주권을 다시 찾음

근데 삼국 협상은 몇 년에 맺어진 조약이에요?

삼국 협상은 삼국 동맹처럼 하나의 조약이 아니라 각각 조약을 맺은 세 나라 사이의 협력 체계야.

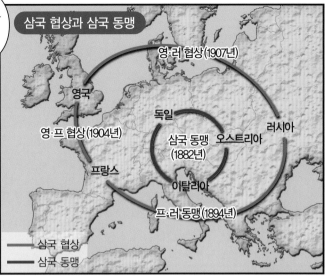

삼국 협상과 삼국 동맹

영·러 협상 (1907년)

영국

독일

러시아

영·프 협상 (1904년)

삼국 동맹 오스트리아 (1882년)

프랑스

이탈리아

프·러 동맹 (1894년)

— 삼국 협상
— 삼국 동맹

동맹이나 협상을 맺은 나라끼리는 사이가 좋았나 보네?

사이가 좋아서라기 보다 서로의 이익을 위해 뭉친 거였어.

이 시기는 자기 나라의 이익을 위해 어제의 적과도 서슴지 않고 손을 잡던 시대였으니까.

아… 저도 그건 이해할 수 있어요.

아미도 공부 비법을 배우려고 옆 반 전교 1등이랑 억지로 친하게 지내거든요.

그런 얘기를 선생님 앞에서 꼭 해야겠어?

아얏! 미안.

독일과 프랑스가 사이가 안 좋았던 이유는 프로이센-프랑스 전쟁 말고 또 있어.

또?

뭔데?

당시 유럽에서 가장 많은 식민지를 가진 나라는 영국이었고, 프랑스 또한 오래 전부터 선진국이었던 만큼 식민지 개척에 일찌감치 뛰어든 상태였다.

프랑스

영국

독일

뒤늦게 공업이 발달해 강대국 대열에 끼어든 독일이 식민지 개척에 참여하려 했을 때는 이미 남은 땅이 거의 없을 정도였다.

뭐야. 우리가 차지할 곳은 거의 없잖아?

야망에 불타오른 독일은 기존 선진국에 맞서기 위해 오스트리아, 이탈리아와 손을 잡았다.

오스트리아

독일

이탈리아

그러자 위협을 느낀 영국과 프랑스가 러시아를 끌어들여 삼국 협상을 맺은 거야.

러시아는 왜?

두 나라와 사이가 좋았나?

러시아는 원래 프랑스와 사이가 좋은 나라가 아니었어. 과거 나폴레옹한테 크게 당했던 기억이 있으니까.

하지만 친하게 지내던 독일이 갑자기 러시아를 배신한 거야.

저것들이 감히 우릴 배신해?

뭘 봐!

결국 한때 적이었던 프랑스와 손을 잡을 수밖에 없었지.

우리 힘을 합해 괘씸한 독일의 코를 납작하게 해 주세.

좋은 생각일세.

그래서 러시아는 자기 나라의 이익을 위해 프랑스, 영국 등과 손을 잡고 삼국 동맹에 맞서게 된 거지.

정말 자기 나라의 이익을 위해서라면 무슨 일이라도 하던 시대였구나.

큭큭, 정말 아미랑 똑같네?

또 무슨 말을 하려고 그래, 응?

잘생긴 남자 친구를 만들기 위해 나하고도 친하게 지내니까 말이야.

너 자구 헛소리할래?

쿠 응

아얏!

곧 중요한 행사가 열리는데 이렇게 까불면서 뛰어다니면 쓰나?

죄송합니다!

근데 무슨 행사가 열리는데요?

보아하니 외국 애들인가 보구나.

아, 예. 연극 준비로 의상이 좀…. 호호!

후다닥

오스트리아 황태자 부부가 오늘 이곳에 오신단다.

오스트리아 군대의 군사 훈련을 살펴보러 오셨다가 이곳에 잠시 들르신다더구나.

오스트리아 황태자라고요?

여긴 오스트리아가 아니잖아?

그러게. 왜 여기서 오스트리아 군대가 훈련을 하고 황태자가 찾아오는 거지?

이 당시 보스니아는 오스트리아가 점령하고 있었거든.

오스트리아 황태자 정도면 이곳에서는 거의 황제나 다름없었지.

아~

그럼 보스니아는 어쩌다가 오스트리아에게 지배당한 거야?

지금부터 차근차근 설명해 줄게.

보스니아는 발칸 반도에 위치하고 있어.

발칸 반도?

흠음…. 내가 지도를 보여 줄게.

자, 여기가 현재의 발칸 반도야.

와, 그 북채 별 게 다 되네!

오스트리아

아시아

유럽

루마니아

보스니아 세르비아
헤르체고비나 **발칸 반도**
몬테네그로 불가리아 흑해
마케도니아
알바니아
그리스 오스만 제국

지중해

유럽의 화약고 발칸 반도

발칸 반도는 아시아와 유럽을 잇는 통로에 있어, 지리적으로 매우 중요한 곳이다. 그래서 예로부터 유럽과 아시아 강대국들의 전쟁이 끊이지 않았고, 인종·언어·종교·문화가 다른 민족 간의 싸움도 잦았다. 18세기 이후 러시아는 '범슬라브주의'를 내걸고 이곳에 진출했고, 세르비아, 몬테네그로, 루마니아, 불가리아 등 19세기에 독립한 슬라브 민족 나라들도 이곳에 영토를 넓히려 했지만 오스트리아는 이를 막으려 했다. 특히 오스트리아와 세르비아 사이에 긴장감이 맴돌아 언제 전쟁이 일어날지 모르는 불안감 때문에 '유럽의 화약고'라 불린 것이다.

칸 반도는
의 화약고'
고 불려.

발칸 반도는 14세기부터 오스만 제국의 침략을 받기 시작해 15세기 이후 완전히 지배당했어.

그러다가 1878년에 벌어진 러시아와 오스만 제국 사이의 전쟁으로 오스만 제국의 힘이 약해지자 발칸 반도 대부분의 나라가 독립했지.

* 세르비아에 속해 있던 코소보는 2008년에 독립을 선언했지만 2010년 현재 미국과 유럽 연합 회원국 등 65개국만이 인정했으며, 러시아와 세르비아 등은 코소보의 독립을 인정하지 않고 있다.
* 범슬라브주의 : 슬라브 민족의 우수성을 주장하고 슬라브 민족을 통일시키기 위한 운동

그러나 독립의 기쁨도 잠시….

1908년 오스트리아가 보스니아와 헤르체고비나를 합병하고 말았어.

오스트리아가 지배하고 있던 슬라브 민족의 독립을 막기 위해서였지.

강대국이라고 다른 나라를 마음대로 휘두르다니!

그러게. 정말 너무해.

그 후 발칸 반도에는 두 번의 전쟁이 벌어졌어.

어휴, 정말 바람 잘 날 없는 곳이었구나.

발칸 전쟁

1차 발칸 전쟁 (1912년)
그리스와 세르비아 등의 나라들이 발칸 동맹을 맺고 오스만 제국을 발칸 반도로부터 몰아냈다.

보스니아-헤르체고비나
세르비아
루마니아
불가리아
몬테네그로
발칸 반도의 여러 나라들에 의해 무너진 오스만 제국
오스만 제국
그리스

2차 발칸 전쟁 (1913년)
승리한 동맹국들 사이에 영토 분배를 둘러싸고 전쟁이 벌어졌다.

보스니아-헤르체고비나
세르비아
루마니아
불가리아
몬테네그로
알바니아 1913년 독립
그리스
오스만 제국
화살표 방향으로 합병

2차 발칸 전쟁 후 러시아의 도움을 받던 세르비아가 알바니아와 몬테네그로를 합병하려고 했지만….

했지만?

누가 방해했나?

맞아. 오스트리아가 반대해서 실패했어.

어휴, 슬라브 민족은 오스트리아 엄청 싫어했겠다.

26 ＊합병 : 둘 이상의 기구나 단체, 나라 등을 하나로 합침

물론이야. 슬라브 민족 국가들 중에서도 특히 세르비아와 앙숙이 되어 버렸지.

여기 보스니아는 슬라브 민족이 살고 있는 곳이랬죠?

그래, 맞아.

그러면 오스트리아 황태자 부부가 오는 걸 싫어하는 사람들도 많겠어요.

그럼. 더구나 오스트리아 지배를 받고 있는 곳이니까.

어라? 뭔가 소란스러워졌는데요?

웅성 웅성 웅성

황태자 부부가 근처에 왔나 보다.

황태자 부부가 방금 시청 광장에 도착했대!

곧 이 앞을 지나가겠지?

웅성

우리도 보러 가요!

그럴까?

네!

이 아저씨는 왜 이러는 거지?

안절

부절

27

어이쿠!

부딪쳤으면 사과를 해야죠.
이보세요, 아저씨!

저기 황태자
부부가 지나가요.

와아아

와아

와아아

와! 자동차 정말
으리으리하다!

어라?
그러고 보니 미르가
안 보이네?

어? 정말?

아, 저기 있다.

앗! 미르야,
어디 가?

저기요!

미르야!

얘들아, 어서 여길 피하자. 얼른!

네!

미르야, 괜찮니?

네, 너무 놀라서…. 지금은 괜찮아요.

잘 따라와!

얘들아, 미안. 내가 빨리 알아차렸어야 했는데…. 오늘이 바로 '사라예보 사건'이 일어난 날이야.

사라예보 사건이요?

너도 알고 있었지, 요제프?

당연하지! 잊었어? 난 너희에게 이 사건을 보여 주려고 일부러 이곳으로 데려온 거야.

사라예보 사건

1914년 6월 28일 오스트리아의 황태자 프란츠 페르디난트와 황태자비가 사라예보에서 암살된 사건이다. 사라예보는 현재 보스니아-헤르체고비나에 있지만, 당시에는 1908년 오스트리아에 합병된 보스니아 주의 중심 도시였다. 이 사건은 오스트리아 황태자가 남슬라브 민족의 통일에 방해가 된다고 여긴 세르비아의 민족주의적 비밀 결사의 계획에 의한 것이었다. 오스트리아 정부는 이 사건에 세르비아 정부가 관련되었다고 하여 7월 28일에 세르비아에 선전 포고를 함으로써 제1차 세계 대전이 시작되었다.

오스트리아 황태자 암살범이 체포되는 모습

그럼 총을 쏜 저 사람은…?

세르비아 청년 가브리엘로 프란시프야.

잡았다!

드디어 범인을 잡았다!

그 사람이 잡혔나 봐요!

세르비아 만세!
슬라브 민족 만세!

사람에게 총을 쏘는 장면을 직접 보다니…. 너무 충격적이에요.

일단 진정해. 이젠 괜찮아.

비록 이 사건으로 제1차 세계 대전이 일어나긴 했지만….

아, 맞다!

내가 너희한테 알려 주려고 하는 굉장히 끔찍한 사건이지. 매우 슬프고 두려운….

세계 대전이라뇨?

이 암살 사건을 계기로 오스트리아는 눈엣가시 같았던 세르비아를 확실하게 짓밟을 구실을 갖게 되었어.

독일의 도움까지 받게 된 오스트리아는 결국 세르비아에게 전쟁을 선포했지.

우린 그럼 전쟁의 원인을 직접 본 거네요.

근데 독일은 왜 오스트리아를 도왔어요?

러시아가 같은 슬라브 민족인 세르비아를 돕자,

내 친구들을 잔뜩 데리고 왔지롱!

이 전쟁만 끝나면 넌 내 거야!

프랑스   영국   러시아   세르비아

독일은 같은 게르만 민족인 오스트리아를 도운 거야.

독일   오스트리아

게르만 민족의 위대함을 보여 줍시다!

좋소!

오스트리아와 세르비아의 대립은 연합국과 동맹국 사이의 전쟁으로 확대됐어.

제1차 세계 대전이 시작된 거야.

그리고 불가리아와 오스만 제국이 동맹국에, 그리스, 포르투갈, 삼국 동맹에서 탈퇴한 이탈리아가 연합국에 들어가면서 전쟁은 유럽 전체로 번져 나갔어.

유럽이 순식간에 전쟁터가 됐구나.

* 삼국 협상을 맺은 나라들을 '연합국', 삼국 동맹을 맺은 나라들을 '동맹국'이라고 한다.

제1차 세계 대전의 전개

① 1914년 6월, 사라예보 사건 이후 그해 7월, 독일이 러시아에 전쟁을 선포하다.

② 1914년 8월, 독일이 벨기에와 프랑스 북부 지역을 침략하다.

③ 1914년 9월, 독일이 프랑스 마른 강에서 벌어진 전투에서 지다.

④ 1917년 4월, 독일의 무제한 잠수함 작전으로 영국 함대에 타고 있던 많은 미군이 사망함으로써 미국이 전쟁에 참가하다.

⑤ 1917년 11월, 러시아에서 혁명이 일어나 러시아가 전쟁에서 빠지게 되다.

⑥ 1918년, 독일의 동맹국이었던 오스만 제국과 불가리아, 오스트리아가 연합국에 항복하다.

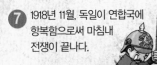

⑦ 1918년 11월, 독일이 연합국에 항복함으로써 마침내 전쟁이 끝나다.

대규모 전쟁으로 전 세계는 아비규환이 되었고, 그 끔찍한 모습은 이루 말할 수 없었지.

제1차 세계 대전으로 인해 파괴된 건물들

ㅇ으, 처참하다!

이 전쟁은 여러 면에서 이전까지의 전쟁과 전혀 다르게 펼쳐졌어.

어떻게요?

그전에는 전쟁이 일어나면 제한된 전쟁터에서 군인들끼리만 싸우기 때문에, 죽거나 다치는 사람들은 주로 군인이었는데…

이 전쟁은 안 그랬나요?

제1차 세계 대전은 모든 땅이 전쟁터가 되다 보니 군인은 물론 일반인도 많이 다치고 죽었어.

죽은 사람만 약 9백만 명이고, 다친 사람은 2천 2백만 명이 넘지.

그렇게 많은 사람이 죽었단 말이야?

또 전쟁이 금방 끝날 거라는 독일의 예상과는 달리 5년 동안이나 참호전이 계속됐어.

참호전은 땅에 구덩이를 파고 몸을 숨기며 싸우는 전쟁이다. 이 전쟁의 특성상 먼저 공격하는 쪽의 피해가 컸기 때문에 서로 눈치를 보며 공격을 미뤄 전쟁이 길어진 것이다.

이 전쟁부터 대량 살상 무기가 크게 발전했다. 전투기, 독가스, 전차, 잠수함, 기관총 등이 제1차 세계 대전 중에 사용되었다.

저런 무기들이 사용됐으니 사람들이 많이 죽을 수밖에…

＊대량 살상 무기: 한 번에 많은 사람을 죽일 수 있는 무기. 생물 무기, 화학 무기, 핵무기, 방사능 무기를 말함

그럼 전쟁을 일으킨 나라들은 벌을 받았나요?

이렇게 많은 사람이 다치고 죽었는데 가만 두면 안 되지!

물론이지. 연합국은 1919년에 파리 강화 회의를 열어 전쟁에 진 나라들과 조약을 맺고 벌을 내리기로 결정했어.

벌을 내려요?

자, 전쟁에서 ~한 동맹국들의 상황이야.

각 나라들은 이처럼 책임을 져야 했지.

제1차 세계 대전 이후의 동맹국 상황

독일　1919년 6월, 프랑스 베르사유 궁전 거울의 방에서 베르사유 조약을 맺었다. 모든 식민지를 포기하고, 프랑스에게서 빼앗은 영토를 다시 돌려주었다. 천문학적인 배상금을 연합국에게 지불했다.

오스트리아　1919년 9월 파리 서부 생제르맹에서 생제르맹 조약을 맺었다. 세르비아, 크로아티아, 슬로베니아의 독립을 인정하고, 영토가 축소되었다.

오스만 제국　1920년 프랑스 세브르에서 세브르 조약을 맺었다. 아시아의 아랍 지역과 북아프리카 지역의 영토를 포기했다.

불가리아　1919년 11월 파리 근교 뇌이쉬르센에서 뇌이 조약을 맺었다. 세르보-크로아티아-슬로벤(뒤의 유고슬라비아)의 독립을 인정하고, 주변 국가의 국경을 승인했다.

특히 동맹국의 대장격이었던 독일은 순식간에 약한 나라가 되고 말았어.

자업자득이지, 뭐.

맞아!

반면에 미국은 전쟁 이후 강대국으로 떠올랐어.

이전까지 세계의 중심이 유럽이었다면 제1차 세계 대전 이후부터는 미국이 그 자리를 물려받았지.

＊파리 강화 회의 : 1919년에 제1차 세계 대전을 끝내기 위해 전쟁에 이긴 나라들이 파리에서 연 회의
＊자업자득 : 자기가 저지른 일의 결과를 자기가 받음

파리 강화 회의도 미국의 윌슨 대통령이 제시한 '14개조 평화 원칙'을 바탕으로 할 정도로 미국의 영향력이 커졌어.

윌슨의 14개조 평화 원칙

미국의 제28대 대통령 윌슨은 1918년 1월 세계 질서를 바로잡기 위한 '14개조 평화 원칙'을 발표했다. 그리고 파리 강화 회의에서 국제 연맹을 만드는 데 애쓴 공로로 1919년 노벨 평화상을 받았다. 그가 발표한 '14개조 평화 원칙'에는 다음과 같은 내용이 담겨 있다. ① 강화 조약 공개와 비밀 외교 폐지, ② 공해의 자유, ③ 공정한 국제 통상 확립, ④ 군비 축소, ⑤ 식민지 문제 해결, ⑥ 프로이센에서의 군대 철수와 러시아의 정치에 대한 불간섭, ⑦ 벨기에의 주권 회복, ⑧ 알자스—로렌 지방을 프랑스로 반환, ⑨ 이탈리아 국경의 민족 문제 해결, ⑩ 오스트리아—헝가리 제국 내의 여러 민족 해결, ⑪ 발칸 제국의 독립 보장, ⑫ 터키 제국하의 여러 민족의 자치, ⑬ 폴란드의 재건, ⑭ 국제 연맹 창설이다.

우드로 윌슨 (1856~1924년)

윌슨의 평화 원칙은 전쟁에 이긴 나라들에게 받아들여지지 않았지만, 세계의 수많은 식민지 나라에 독립에 대한 열망을 불러일으켰어.

우리도 우리 손으로 미래를 결정할 권리가 있어!

다른 나라의 간섭을 받을 이유가 없지.

모든 국가와 민족은 평등해!

이런 일이 다신 일어나지 않았으면 좋겠어요.

그러게 말이야.

이제 시작일 뿐인데….

어쩌다 세계 대전 같은 슬픈 일이 일어났는지….

인간의 이기심이 문제야. 전쟁은 항상 인간의 이기심과 욕심에서 시작되지.

으악!

아직도 그 광경이 눈에 선해.

애들아, 이제 다음 장소로 가자!

두 두두 두

자, 준비됐으면 떠나 볼까요?

야 라 라 랑

두 둥

자, 안 좋은 기억은 빨리 잊고 다음 장소로 가자.

네….

전쟁을 실제로 보면 재미 있을 것 같다고 생각하다니…. 정말 어리석었어.

절대 잊을 수 없을 것 같아.

러시아 혁명과 사회주의

기다려 봐.
내가 따뜻하게
해 줄게!

샤
리
리
캉

뭐지?

이제 춥지
않을 거야!

와,
멋있는데!

요제프, 너도
추위를 타니?

추워서 입는
게 아니야.

독일의 적국이나 다름없는
러시아에서 내가 입고 있던 독일
군복을 그대로 입고 있으면
위험하단 말이야.

아, 넌
생전에 독일인
이었구나.

그런데 저
사람들은 뭐 하고
있는 거야?

시위를 하는 거야.
우리는 지금 러시아의
총파업 현장에 와 있거든.

총파업?

파업은 근로자들이 불만이나
요구 사항을 주장하기 위해 집단
으로 일을 멈추는 걸 말해.

이 시기의 러시아는 겉모습은 강대국이었지만 국내 경제 사정이 나빠 국민들이 몹시 가난했어.

특히 날씨가 춥고 땅이 메말라 식량이 부족했다.

이 빵을 나눠 먹자.

꼬르륵~

엄마, 배고파요!

배고픔을 참지 못한 러시아 노동자들은 일을 그만두고 저렇게 모여 정부에 시위를 하는 거야.

배고파 못 살겠다!

우리에게 평화를! 와 빵을 달라!

우리에게 평화를! 토지와 빵을 달라!

전쟁을 중단하라!

토지와 빵을 달라!

차르는 물러가라!

먹을 걸 달라!

우리에게 평화를! 토지와 빵을 달라!

우 리에 토지와

차르가 대체 누군데 저렇게 화를 내는 걸까?

러시아 황제를 말하는 것 같은데?

차르는 러시아 황제를 일컫는 칭호야. 황제를 뜻하는 '카이사르'가 러시아 말로 차르인 거지.

역시 난 상식이 풍부해.

으, 또 잘난 척이야!

그러는 넌 무식한 게 자랑이냐!

히익

얘, 얘들아....

이 당시 차르는 니콜라이 2세였어.

니콜라이 2세 (1868~1918년)
러시아의 마지막 황제. 3월 혁명으로 300년 이상 이어진 로마노프 왕조가 무너지고, 제위에서 물러났다.

니콜라이 2세는 한 나라의 황제로서 부족한 사람이었다. 기울어져 가는 러시아를 다시 일으켜 세울 생각조차 하지 않았다.

나라야 어떻게든 되겠지. 안 그래?

그러다 '피의 일요일 사건'으로 차르 체제가 위협을 받게 됐지.

피의 일요일 사건?

오들

오들

왠지 무섭다. 또 끔찍한 일이 일어났던 건가?

41

때는 우리가 와 있는 지금으로부터 12년 전인 1905년이었어. 이때 역시 나라의 경제는 좋지 않았지.

여보, 미안해. 공장에서 더 이상 일을 할 수가 없게 됐어.

지금 당장 먹을 게 없는데 어떡하면 좋아요!

참다 못한 사람들은 1월 22일 일요일, 니콜라이 2세에게 고통을 호소하기로 했어. 이들은 차르를 아버지라 여겼기 때문에 보살펴 줄 거라 믿었던 거야.

모두 차르에게 가서 부탁해 봅시다!

좋은 생각입니다!

짝 짝 짝

가폰 신부

전국적으로 수많은 노동자들이 일을 멈춘 뒤, 노동자 조직의 지도자인 게오르기 가폰 신부가 이끄는 수천 명의 시위대가 니콜라이 2세가 살고 있는 겨울 궁전 앞 광장에 모여 자비를 구했다.

자비로운 아버지 차르여,

우리의 고통을 들어 주소서!

자비 우리의

차르여, 주소서!

자비로 여, 서!

그러나 그들에게 돌아온 것은 차르의 인자한 손길이 아닌 차르의 삼촌 블라디미르의 명령에 의한 경찰들의 총탄 세례였다.

으아악!

타앙~탕

이 사건으로 5백 명 이상이 죽고, 수천 명의 사람이 다쳤지.

불쌍한 백성들을 쏘다니!

정말 너무해!

이 사건으로 러시아 국민들은 믿어 왔던 차르에게 더욱 배신감을 느끼고 분노했지.

백성들은 굶주린 죄밖에 없잖아요.

그러게 말이야!

부들 부들

저렇게 열심히 시위하는 모습이 이해가 돼요.

그런 끔찍한 일을 겪었으니 당연하지!

꾸욱

파의 일요일 사건 기록화

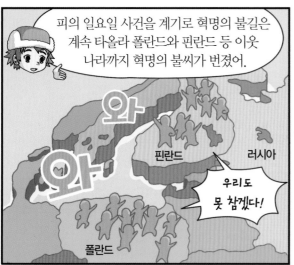

피의 일요일 사건을 계기로 혁명의 불길은 계속 타올라 폴란드와 핀란드 등 이웃 나라까지 혁명의 불씨가 번졌어.

와

와

와

핀란드

러시아

우리도 못 참겠다!

폴란드

그해 말까지 계속된 군중들의 시위에 결국 니콜라이 2세는 10월 선언을 통해 의회의 설립과 헌법 제정을 약속하게 되었다.

좋아. 내가 양보하지 뭐.

와아

의회

헌법

* 10월 선언 : 1905년 10월 30일(러시아 력 10월 17일), 러시아 황제 니콜라이 2세가 발표한 문서로, 차르 체제를 무너뜨리고 입헌군주제의 출범을 선언함. 시민권(언론·출판·집회·결사의 자유) 보장, 참정권 확대, 의회의 창설을 주요 내용으로 함

하지만 시간이 흐르자 차르는 혁명에 참여한 사람들을 강하게 탄압해 혁명은 실패로 끝나고 말았어.

많은 사람이 희생됐는데…. 슬프다.

혁명을 치르고서도 차르 정부의 부정부패는 사라지지 않았고, 국민들의 고통은 여전했지.

아직 정신을 못 차렸네.

네가 게임을 끊지 못하는 것과 같은 건가 봐.

그래서 12년이 지난 지금까지 혁명의 불씨가 꺼지지 않고 남아 있는 거야.

지금 게임 얘기가 왜 나와!

말이 그렇다는 거지.

모두 더 크게 외칩시다! 더는 참을 수 없습니다!

저 시위대는 결국 어떻게 되는지 한번 지켜볼까?

우그그~

?

뚜벅

뚜벅

뭐지?

와! 러시아 만세!

와~

...혁명화를! 달라!

와아

러시아의 미래를 위해 우리도 같이 싸우겠소!

우리 군대 만세!

다행이다! 사람들이 다치거나 죽지 않아서!

끔찍한 광경을 보게 될 줄 알았는데….

병사 중에는 민중 가운데 끌려간 일반 청년들이 대부분이라서 자연스럽게 시위대에 참여하게 된 거야.

그렇다면 이번 혁명은 성공하겠지?

이로써 3월 혁명이 본격적으로 시작됐어.

우리에게 ...화를! 달라!

와아~

아….

3월 혁명

1917년 3월 8일, 수도 페트로그라드에서 식량 부족을 견디지 못한 시민들이 들고 일어난 혁명이다. 러시아 력으로 2월에 일어나 '2월 혁명'이라고도 한다.

3월 혁명을 위해 거리로 몰려든 사람들

당시 러시아 차르였던 니콜라이 2세의 일가

러시아 페트로그라드의 여성들과 노동자들이 이끌고,

병사들이 힘을 합한 3월 혁명은 마침내 차르 체제를 무너뜨리는 데 성공했다.

이후의 러시아는 소비에트와 임시 정부가 함께 이끌어가게 돼.

소비에트?

소비에트는 러시아 혁명 이후 생겨난 의회야. 볼셰비키가 이끌었지.

볼셰비키? 사람 이름인가요?

볼셰비키는 당시 러시아 정치 세력 중 하나로, '다수파'라고도 하지. 볼셰비키를 이끈 사람은 니콜라이 레닌이었어.

내 본명은 블라디미르 일리치 울리야노프야. 니콜라이 레닌은 혁명 당시 이용한 내 가명이지.

그는 러시아 혁명가이자 정치가로, 러시아에 마르크스주의를 널리 퍼뜨린 사람이야. 3월 혁명 당시 지명 수배자였기 때문에 러시아에 돌아올 수 없었어.

혁명이야말로 진정 우리가 가야 할 길이다!

소비에트와 레닌

원래 '소비에트'라는 말은 평의회·대표자 회의를 의미하는 러시아 어였지만, 1917년 3월 혁명 때 '노동자·병사 대표 소비에트'가 만들어지면서 국가 제도로 확대되었다. 소비에트는 군사력을 장악하고, 임시 정부와 더불어 권력을 나누어 가졌다.

이를 중심에서 이끈 사람이 바로 레닌이다. 레닌은 형 알렉산더가 차르의 암살 음모에 관련되어 교수형을 당한 사건을 계기로 혁명적 마르크스주의자가 되었다. 투쟁을 하며 나라 밖으로 도망다니는 생활을 하다가 3월 혁명 이후 러시아로 돌아왔다. 이후 11월 혁명으로 소비에트 정부의 의장이 되었다.

1919년 4월 페트로그라드에서 열린 소비에트 의회 회의

니콜라이 레닌(1870~1924년)

---

* 마르크스주의 : 마르크스가 확립한 사회주의 이론. 자본주의 사회의 모순을 극복하기 위해 노동력 이외에는 생산 수단을 가지지 못한 노동자에 의한 혁명이 필요하다고 주장함

볼셰비키와 맞섰던 반대파는 멘셰비키로, '소수파'라고도 해.

멘셰비키요?

그러니까, 멘셰비키는…

그건 말이지!

제가 설명할게요!

멘셰비키는 과격한 혁명을 반대하는 무리야. 멘셰비키를 이끈 사람은 마르토프였지.

못 말려~

그는 레닌과 친구였지만 당의 규칙과 역할을 두고 둘 사이에 갈등이 많았어.

볼셰비키와 멘셰비키

볼셰비키는 러시아 사회민주당 정통파를 가리키는 말이다. 1903년 영국 런던에서 열린 제2차 회의에서 혁명적인 의견을 내세운 레닌파가 많았으므로 '다수파', '과격한 혁명주의자' 또는 '과격파'의 뜻으로도 쓰인다. 반면 멘셰비키는 러시아 어로 '소수파'라는 뜻이며, 이를 이끈 사람은 마르토프이다. 이들은 후진국 러시아에는 자본가에 의한 혁명이 필요하다고 주장하며 볼셰비키를 반대했다. 1912년 볼셰비키와 멘셰비키는 정식으로 갈라섰다. 멘셰비키는 1917년 3월 혁명 이후 임시 정부와 케렌스키를 지지하여 지도적인 역할을 했으나, 11월 혁명에서 볼셰비키에게 권력을 빼앗겼다.

이 두 정당은 앞으로 알아볼 3월 혁명 이후의 일들과 관련이 있어.

또 어떤 일이 생기는데?

아, 갑자기 머리가 아파!

너무 겁먹지 마.

아니, 폭력적인 게임을 좋아할 때는 언제고?

으으으

미르가 정신적으로 힘든 모양이다.

아무래도 사라예보 사건 때문에 충격이 컸나 봐.

보기보다 마음이 여리네.

미르야. 정신 차려.

네?

네가 충격을 받은 것은 이해하지만, 우리가 이렇게 과거로 온 것은 역사의 진실을 바로 알기 위해서잖아.

그렇죠.

원래 진실을 마주하려면 용기가 필요한 법이지.

흠!

알았어요.

그럼 계속할까?

그러니까… 3월 혁명 이후에 세워진 임시 정부를 멘셰비키가 이끌게 되는데….

멘셰비키의 총리였던 케렌스키가
겨우 36세의 나이로 임시 정부의
지도자가 됐어.

하하하!
감사합니다!

짝
짝

알렉산드르 케렌스키(1881~1970년)
사회혁명당 온건파에 속했던 정치 지도자로 법무
부 장관이 되자마자 사형 제도를 없애고 언론의
자유를 확대하는 등 민주주의 개혁에 힘썼다.

그런데 문제는 이들 임시 정부가 개혁을 뒤로 미룬 채
독일과의 전쟁을 계속해야 한다고 주장했던 것이다.

우리는 전쟁이
싫은데….

제1차 세계 대전 참가는 러시아
경제가 어려움에 처하게 된 결정적인
이유였거든.

먹을 것도
없는데….

전쟁에 필요한 물건을
마련하려면 힘들었겠다.

이즈음 외국으로 몸을 피해
있던 볼셰비키의 지도자 레닌이
러시아로 돌아왔어.

지금 임시 정부는 진정
러시아에 필요한 것이 무엇
인지를 모르고 있다!

동지들이여,
나를 따르라!

레닌은 전쟁을 계속하자는 임시 정부의 뜻에 크게 반대하고, 1917년 4월에 '4월 테제'라는 성명을 발표했다.

임시 정부를 해산하고, 모든 권력을 소비에트로 옮겨야 합니다.

또한 독일과의 전쟁을 멈춰야 하며, 노동자 소비에트가 모든 생산 시설을 차지해야 합니다.

처음에는 그의 주장에 아무도 찬성하지 않았지. 볼셰비키조차도 말이야.

오자마자 한다는 소리가…. 쯧쯧.

말만 번지르르하지.

레닌은 자신의 주장을 사람들이 받아들이도록 계속해서 노력했어. 끈질기게 토론을 벌이고, 연설을 했지.

모든 권력은 소비에트로! 노동자들이야말로 평화와 토지, 빵의 진정한 주인입니다!

그 결과 마침내 볼셰비키가 레닌의 선언을 지지하기 시작했어.

우리에게 평화와 토지, 빵을 달라!

이제 됐어! 슬슬 러시아 개혁에 박차를 가할 때다!

1917년 6월 초, 노동자와 병사들의 소비에트 전국 대회가 열렸을 때 볼셰비키와 멘셰비키가 참가했다.

정권을 빼앗길 수야 없지!

노동자·병사 소비에트 전국 대회

기필코 4월 테제를 실현시키고야 말겠다.

그런데 볼셰비키는 105명이 대표 자격으로 참가한 데에 비해, 멘셰비키는 248명이나 참가했다. 결국 노동자·병사 소비에트는 임시 정부를 지지하게 됐다.

이럴 수가….

그런 허무맹랑한 제안을 받아들일 리가 없지!

에트 전국 대회

기고만장해진 임시 정부는 독일 군대를 물리쳐서 인기를 더 높여 보려고 했어.

독일 군대를 물리쳐라!

그러나 결과는 러시아 군대의 참담한 패배였어.

까불지 말란 말이야!

러시아 군대의 패배 소식을 들은 볼셰비키는 반격을 시도하려 했어.

지금이 임시 정부를 무너뜨릴 수 있는 절호의 기회야!

한편 볼셰비키의 움직임을 읽은 임시 정부는 볼셰비키에 대한 나쁜 소문을 퍼뜨렸다.

여러분! 볼셰비키는 적국인 독일로부터 활동 자금을 받았고, 레닌은 독일의 간첩입니다!

이렇게 되자 볼셰비키는 지하로 숨었고, 레닌은 러시아를 떠날 수밖에 없었다.

잠시 핀란드로 피해 있어야겠군.

이게 무슨 꼴이람!

다다다

결국 세력 다툼에서 임시 정부가 승리했네!

아직 끝나지 않았어.

이때 트로츠키가 레닌을 대신하여 임시 정부를 공격한 거야.

임시 정부는 전쟁광이다!

왜 불쌍한 러시아의 국민들을 사지로 내몰려고 하는가!

트로츠키가
누군데?

러시아의
혁명가야.

레온 트로츠키
(1879~1940년)

러시아의 혁명가이자 마르크스주의 이론가이다. 뛰어난 재능과 활달한 성격으로 많은 사람들이 그의 주위에 있었지만 이들을 따로 조직으로 만들지 않았다.
초기에는 멘셰비키였으나, 볼셰비키로 전환하여 임시 정부의 권력을 소비에트로 넘겨야 한다고 강력하게 주장했다.

전쟁에 지칠 대로 지친 민중들도 트로츠키의 말을 듣고 임시 정부보다 볼셰비키를 더 좋아했어.

전쟁을 반대하는 볼셰비키가 맘에 들어.

전쟁 없는 세상에서 살고 싶어!

민심을 잃은 임시 정부에는 또 안 좋은 일이 일어났어.

안 좋은 일?

수업 시간보다 훨씬 재미있어 하네!

1917년 8월 15일 차르의 고위 장교였던 코르닐로프가 반혁명 쿠데타를 일으킨 거야.

병사들이여! 차르 체계로 다시 되돌리자!

으으으!

쟨 또 왜 저래!

코르닐로프의 쿠데타는 실패했지만 이 사건으로 민심은 완전히 볼셰비키에게 돌아갔지.

으, 간신히 물리쳤다.

임시 정부는 정말 무능하군!

니콜라이 2세와 다를 게 뭐람!

또한 트로츠키의 인기도 점점 높아져 마침내 페트로그라드 소비에트 의장으로 뽑혔어.

와! 와아~

트로츠키라는 사람, 나랑 좀 닮았는데? 용기 있고, 인기도 있고!

착각은 자유라더니….

트로츠키는 소비에트 자체 군대인 '붉은 군대'를 만들었다. 본래 러시아에서는 강한 의욕과 정열을 나타내는 데 붉은 색을 썼기에 '붉은 군대'라는 이름이 붙여졌다.

그때까지 임시 정부에 밀려 있던 볼셰비키는 점차 힘이 강해지면서 큰 정치적 세력으로 거듭났어.

트로츠키, 자네의 공이 크네!

다시 러시아로 돌아오셔서 기쁩니다!

우리 함께 러시아의 진정한 개혁을 이루어 보세!

네, 선생님!

1917년 11월, 권력을 잡은 볼셰비키는 임시 정부를 해체시키기 위해 '11월 혁명'을 일으켰어.

또 혁명이야?

1년이 안 돼서 또 혁명이 일어났단 말이야?

또 많은 사람이 죽었겠지…?

11월 혁명은 피를 흘리지 않은 혁명이야. 임시 정부의 저항 없이 혁명이 일어난 지 5시간 만에 끝났어.

정말요?

선생님 말씀이 맞아. 비조직적이었던 3월 혁명과는 달리 레닌의 지도 아래 치밀한 계획을 세워 조직적으로 이루어졌거든.

나도 레닌처럼 계획적이고 리더십 있는데….

11월 혁명

1917년 11월 6일에 일어난 혁명으로, 레닌의 지도하에 볼셰비키에 의해 이루어져 '볼셰비키 혁명'이라고도 한다. 러시아 력으로 10월 24일에 일어나 '10월 혁명'으로도 불린다. 11월 7일, 볼셰비키와 혁명당원들은 정부 청사와 여러 중요한 지역을 차지해 큰 인명 피해 없이 혁명에 성공했다. 이 혁명으로 모든 권력을 차지한 소비에트는 임시 정부를 없애고 독재를 펼쳤다. 그리고 1922년 최초의 사회주의 국가인 '소비에트 사회주의 공화국 연방'인 '소련'을 세웠다.

1977년에 행해진 11월 혁명 60주년 기념식

소련은 1991년 해체될 때까지 공산주의의 중심 나라가 됐어.

요제프는 정말 모르는 게 없구나!

어흠!

짝 짝

요제프, 그럼 11월 혁명이 왜 중요한 걸까?

훗, 그건 말이죠….

사람이 많이 다치지 않았기 때문이죠.

조직적으로 혁명이 이루어졌고요!

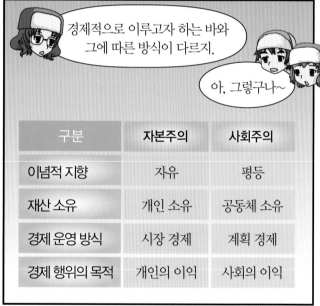

구분	자본주의	사회주의
이념적 지향	자유	평등
재산 소유	개인 소유	공동체 소유
경제 운영 방식	시장 경제	계획 경제
경제 행위의 목적	개인의 이익	사회의 이익

60 * 자본주의: 생산 수단이 자본인 자본가가 이윤을 얻기 위해 생산 활동을 하도록 보장하는 사회 경제 체제
* 사회주의: 생산 수단을 사회화하여 자본주의 제도의 단점을 극복하려는 사상

사람들이 열심히 일할 필요를 못 느낀다는 거지. 열심히 노력한 만큼 대가를 받지 못한다면 말이야.

무슨 소린지…

아무리 열심히 일을 해도 열심히 일하지 않은 사람과 얻는 것이 같다면 일할 마음이 생기겠니?

아, 그건 좀 억울하겠네요.

어쨌든 러시아 혁명을 통해 퍼져 나간 사회주의는 20세기 세계에 큰 영향을 끼쳤어.

사회주의는 공산주의로 발전하여 동유럽, 중국에 자리 잡았고, 우리 나라의 분단에도 영향을 끼쳤지.

남한

우리는 사상이 달라!

북한

그럼 가난하고 배고팠던 러시아 사람들은 그 후 어떻게 됐어요?

혁명이 성공 했으니까 당연히 잘살았겠지!

안타깝지만 그렇게 되지 않았어.

스탈린이란 사람이 등장했거든!

스탈린?

스탈린은 무시무시한 독재자였어. 그는 반대파를 없애고, 소련 전체를 손아귀에 쥐고 흔들었지.

내 눈에 잘못 보이기만 해 봐!

스탈린은 강력한 군사력을 유지하고 전쟁에 승리하기 위해 농민들로부터 식량을 강제로 빼앗는 등 혹독한 정책을 실시했다.

이런 나쁜 놈들!

우린 뭘 먹고 살라고!

엎친 데 덮친 격으로 1921년에는 대흉년이 들어 300만 명의 소련 사람이 굶어 죽었어.

차라리 듣지 말걸.

세상에!

결국 혁명을 했어도 사람들은 여전히 힘들고 배고팠다는 거잖아요.

스탈린은 정말 나쁜 사람이네!

이오시프 스탈린 (1879~1953년)

레닌의 후계자로서, 1924년 레닌이 세상을 떠나자 정치 권력을 잡았다. 소련 공산당의 초대 서기장이 되어 죽을 때까지 독재를 펼쳤다. 그는 나라의 계획대로 경제 정책을 펼치는 계획 경제에 의해 안정된 사회주의 국가를 세울 수 있다는 '일국사회주의론'을 주장하였다. 스탈린은 제2차 세계 대전 당시에는 연합국과 손잡고 독일과 싸웠으며, 전쟁이 끝난 후에는 공산주의 국가들과 힘을 합쳐 미국과 맞서는 냉전 시대를 열었다.

레닌과 스탈린(오른쪽)

시끌

시끌

저 녀석들은 뭐야?

설마 우리를 욕하는 건가?

너희, 지금 우리한테 삿대질한 거냐?

이크!

골치 아파지기 전에 이곳을 떠나요!

둥 둥 둥

서둘러!

이번엔 어디로 가는 거야?

다음 장소로 점프!

샤 라 라 랑

무서운 곳이 아니었으면 좋겠어!

영국에 맞선 인도의 독립 운동

1920년 인도

으아, 더워!

여긴 대체 어디지?

얘들아, 저 사람들 옷 좀 봐! 예쁘지?

와, 예쁘다!

특이한 옷이네!

너희, 사리를 처음 보는구나?

사리요?

사리는 인도의 전통 의상 중 하나로, 여성들이 입는 거야.

아, 여기가 인도였구나!

아, 갑자기 왜 이러지?

여질

자유로운 복장 같지만 사리에는 엄격한 규정이 있어.

앗!

옷 입는 데도 규정이 있어요?

사리는 옷감을 자르거나 바느질 해서는 안 돼.

왜요?

종교적인 이유지. 옷감에 바느질을 해서 흠집을 내면 부정 탄다는 거야.

바느질을 안 하고도 옷이 될까?

사리는 한 장짜리 천으로 되어 있어서 몸에 둘둘 둘러 입으면 돼.

아, 그럼 처음부터 바느질할 필요가 없겠네요.

암튼, 멋있긴 한데 입으면 더울 것 같아. 그렇지, 아미야?

헤이아~

아미야, 왜 그래? 이 땀 좀 봐!

아까부터 그랬어.

얼른 아미를 시원한 장소로 옮겨야겠다!

얼굴이 창백해.

더위를 단단히 먹은 것 같아. 물을 마셔야 하는데…

제가 구해 올게요!

후다닥

물을 어디서 구하지?

두리번

두리번

앗, 저기 왜 사람들이 몰려 있지?

저기요! 물 좀 구할 수 있을까요?

이상하게 생긴 꼬마로군.

띠부색도 우리와 달라.

친구가 아파요. 물이 필요해요.

얘야! 이 물을 얼른 친구에게 갖다 주렴.

와, 잘됐다!

탁

탁

물 구했어요!

아미야, 정신이 좀 드니?

하아, 살 것 같아…

이제 괜찮은 거야?

다행이다!

이 가상 현실 체험 프로그램은 너무 실감 나는 게 흠이야.

67

제가 햇볕에 약해서요. 걱정 끼쳐 드려서 죄송해요, 선생님.

기운을 차려서 다행이다. 미르가 물을 구해 오지 않았더라면 큰일 날 뻔했어.

미르야, 고마워.

내가 뭘. 물을 준 그 아저씨가 고맙지.

아참, 그러고 보니 고맙다는 인사도 못 했어요!

그럼 다 같이 인사드리러 가자.

이쪽이에요. 아저씨가 가기 전에 서둘러요!

저 아저씨예요!

아니, 저 사람은?!

얘들아, 저 분은 인도 건국의 아버지라 불리는 모한다스 간디야.

간디요? 어쩐지 낯이 익다 했어요.

68

모한다스 간디 (1869~1948년)

인도의 독립 운동가이자 위대한 사상가이다. 그가 몸소 실천한 인종 차별 폐지 운동, 압박에 대한 투쟁(사티아그라하) 및 자아 실현을 위한 인격 수양은 훗날 간디가 인도에서 펼친 독립 운동의 바탕이 되었다. 그는 1922년 12월, 인도의 위대한 작가 타고르로부터 '마하트마(위대한 영혼)'라고 칭송받기도 했다. 하지만 간디는 1948년 1월 힌두교도인 한 청년에 의해 목숨을 잃고 말았다. 그의 위대한 영혼은 인도 민족에게 커다란 영향을 끼쳤다. 특히 비폭력·무저항주의는 인류의 역사에 길이 남을 업적으로 평가받는다.

우리 인류의 스승이라 불릴 만큼 위대한 분이시지.

모한다스 간디

와! 위대한 간디 만세!

만세!! 간디 만세!

그런데 지금 간디가 뭐라고 하는 거야? 사람들 반응이 뜨거운데?

인도가 영국에게 차별받는 것이 부당하니 인도 사람 스스로가 나라를 다스려야 한다는 거야.

지금 인도는 영국의 가장 큰 식민지거든!

인도인들은 영국인들에게 억압받으며 살았어.

인도도 우리나라처럼 한때 식민지였구나.

음…. 일단 동인도 회사부터 설명해야겠다.

동인도 회사요?

동인도 회사는 17세기에 영국과 네덜란드 등의 유럽 나라들이 아시아 무역을 독점 하기 위해 동인도에 세운 회사야.

이들은 동인도의 특산품인 후추와 차, 면직물 등의 무역 독점권을 두고 경쟁했지.

영국은 1600년 인도에 동인도 회사를 세우면서 인도와 무역을 했어.

인도의 면직물과 향신료를 구하러 가세!

설립 초기에는 평화로운 무역이 이루어졌지만, 점차 각 나라가 무역 독점권을 두고 치열한 경쟁을 하게 되었다.

여기는 내 지역이야!

흥, 절대 인정 못 해!

그러다가 1757년에 일어난 플라시 전투에서 영국이 승리하면서 인도를 식민지로 삼기 시작했어.

윽, 졌다!

인도는 이제 내 거야!

플라시 전투가 어떤 전투죠?

플라시 전투는 벵골의 플라시 지역에서 프랑스의 도움을 받은
벵골 지역 인도 군대와 영국 동인도 회사 군대 사이에 벌어진 전투다.
승리한 영국은 벵골 지역을 독차지하여, 인도를 식민지로 만들었다.

결국 인도 무역
독점권을 놓고 벌인
영국 동인도 회사와
프랑스 동인도 회사의
전투였어.

대체 왜
남의 나라에서
싸우는 거야!

그러게
말이야.

당시 인도는 강대국
이었던 영국과 프랑스를 막을
힘이 없었으니까.

인도인들은 얼마나
억울하고 화가 났을까.

나 같으면
절대 못 참아!

인도인들도 결국 더는 참지
못하고 1857년, 세포이 항쟁을
일으키며 영국에 저항했어.

세포이
항쟁?

세포이 항쟁은 인도에서 일어난 민족 운동으로,
인도의 많은 국민이 적극 참여했다.

영국의 착취로부터
벗어나자!

우르르

다들 무기를 들고
나갑시다!

세포이는 영국 동인도 회사의 인도인 병사를 부르는 말이다. 동인도 회사는 인도 국민들이 점차 영국을 적으로 여기자 세포이들에게 신식 총을 갖추게 했다. 이 신식 총의 탄약통에 소기름과 돼지기름이 칠해져 있다는 소문이 돌자, 돼지를 금기시하는 이슬람교도와 소를 신성시하는 힌두교도들이 반발해 다툼이 시작됐다. 그러나 근본 원인은 인도 병사에 대한 차별 대우였고, 나아가서는 영국의 폭력적인 식민 지배에 대한 인도 국민들의 저항이었다.

하지만 세포이 항쟁은 실패하고 말았어.

왜요?

당시 병사들을 제외한 인도인들은 무기도 제대로 갖추지 못했거든.

쓸 만한 무기가 없네.

이거라도 가져가요!

또 확실하게 지휘하는 세력 없이 여기저기서 따로 움직이는 바람에 결국 제대로 된 전투를 치를 수가 없었지.

오늘 오후 1시에 광장에 모이래!

오후 3시가 아니라?

내일 아니었어?

대체 누구 말이 맞는 거야?

나처럼 전투 게임 도사라면 문제 없었을 텐데….

탕 탕

어휴, 엉뚱하기는.

영국은 자기 나라 병사와 네팔의 구르카 용병을 불러들여 반란을 진압했어.

이제 항복 하시지!

영국은 이전까지 동인도 회사를 통해 간접적으로 인도를 다스렸지만, 이 일을 계기로 동인도 회사를 없애고 직접 다스리기 시작했다.

이제 인도는 영국 정부가 직접 다스린다!

곧 당시 인도 황제였던 바 하두르 샤 2세가 영국 빅토리아 여왕에 의해 쫓겨나면서, 오랜 전통을 이어오던 무굴 제국은 멸망했다. 이때부터 인도는 영국의 진정한 식민지가 되었다.

이제부터 인도는 내가 접수한다!

뺑~

으앙! 무굴 제국이 이렇게 사라지는구나!

바 하두르 샤 2세(1775~1862년)
무굴 제국의 마지막 황제. 세포이 항쟁 때 마지못해 반란의 지도자가 되지만 영국에게 진압당한 뒤 미얀마로 유배당한다.

영국의 빅토리아 여왕은 1877년에 정식으로 인도 제국을 선포하고, 총독을 두어 본격적인 식민지 정책을 펼쳤어.

인도 제국을 선포하노라!

* 구르카 : 18세기에 지금의 네팔 왕국을 건설한 지배 부족. 네팔의 중서부 산악 지대에 살며 농경과 목축 및 상업에 종사함
* 빅토리아 여왕(1819~1901년) : 하노버 왕조의 마지막 영국 왕. 영국의 전성기를 이루고, '군림하되 통치하지 않는다'는 전통을 확립함

영국은 유럽의 발전된 문화를 인도에 전하고자 했어.

영국은 식민지 지배를 원활하게 하기 위해 인도인에게 영어를 가르쳤다.

에이, 비, 시, 디…….

하지만 인도인들은 영어 배우기를 반대 했을 것 같은데?

맞아! 나라면 절대로 안 배워!

하지만 인도인들은 열심히 영어를 배웠어.

아니, 왜요?

영국의 식민지 정책이 생각보다 그렇게 심하지 않은 데다가 영어를 배우면 출세할 수 있었거든.

교육을 제대로 받은 인도인들은 관리나 변호사, 판사, 교사 등이 될 수 있었던 거야.

하지만 인도인에 대한 뿌리 깊은 차별 대우는 완전히 사라지지 않았다.

고급 관리가 될 수 없다니요!

고급 관리는 영국 사람만 될 수 있어.

아무리 인도인들이 교양 있고, 배운 게 많다고 해도 영국인과 똑같은 대우를 받지는 못했어.

너무 불공평해!

어쩜! 말도 안 돼!

그러다가 1883년, '일버트 법' 사건으로 영국을 좋게 생각했던 인도인들마저 생각이 바뀌었지.

총독 밑에서 일하는 법무 위원인 일버트는 영국인들은 영국인 판사에게만 재판받는 특권을 없애려고 했다.

세상은 공평해야 합니다!

옳소! 옳소!

일버트가 제출한 이 법안은 '일버트 법'이라 하는데, 이는 곧 큰 논쟁을 불러일으켰다.

흥! 짝 짝 짝

인도인 판사도 영국인을 재판할 수 있도록 하는 게 어떨까요?

하지만 이는 영국인들의 반발로 받아들여지지 않았다.

우리보고 식민지 나라 사람에게 재판을 받으라고?

어이쿠!

이 사건으로 인도인들의 불만은 점점 쌓여 갔다.

저런 못된 것들이 다 있나!

해도 해도 정말 너무하네!

일버트가 틀린 말을 한 건 아니잖아!

또한 몇 년간 계속된 인도의 흉년으로 농민들 사이에서도 폭동이 일어나고 있었어.

이러다가 세포이 항쟁 같은 일이 또 일어나면 어쩌지…?

불안해진 영국인들은 인도인들의 불만을 잠재우기 위해 어떻게 할 것인가 고민을 거듭했고, 마침내 한 가지 해결 방법을 내놓았다.

인도인과의 대화가 꼭 필요한 때입니다.

그들의 생각을 표현할 수 있는 기관을 만드는 건 어떨까요?

오, 그거 좋은 생각이군!

이리하여 1885년에 '인도 국민 회의'가 만들어졌다.

에헴! 우리가 바로 인도 국민을 대표하는 사람들이오.

영국은 식민지를 배려해 주는 나라였네?

그러게.

과연 그럴까? 인도인들이 스스로 만든 게 아니고, 영국인들에 의해 만들어진 기관이란 걸 생각해 봐.

그래, 뭔가 속셈이 있었을 거야.

영국인들은 자기네 정부 편인 사람들만 의원으로 앉혀 국민 회의를 조종하려 했던 거야.

무조건 찬성이오!

후후, 그래, 그렇게 하는 거야.

그러나 국민 회의는 처음엔 영국 정부의 속셈대로 협조적이었지만, 점차 인도의 독립 운동을 추진하며 민족주의 운동을 이끌어 나갔다.

영국으로부터 독립하자!

국민 회의의 성격이 바뀌게 된 계기는 '벵골 분할령'이야.

인도

벵골

콜카타

벵골 만

□ 분할 전의 벵골
— 벵골 분할 당시 경계선
■ 분할 취소 후 벵골

1905년, 영국이 반영 운동이 거센 벵골 지역을 동서로 나누려 했거든.

맙소사! 이제는 땅까지 나누려고 하네.

역시 본색이 드러나는구나!

1906년, 국민 회의는 캘커타 대회를 통해서 스와데시 운동, 스와라지 운동, 영국 제품 불매 운동, 국민 교육 운동을 벌였다.

영국을 막아 냅시다!

* 민족주의 : 민족의 독립과 통일을 가장 중요하게 여기는 사상. 19세기 이래 근대 국가 형성의 기본 원리가 됨
* 캘커타 : 인도 동쪽에 있는 도시. 서벵골 주의 주도로, 1995년 '콜카타'로 이름을 바꿈

스와데시 운동은 국산품을 쓰자는 운동이고, 스와라지 운동은 영국으로부터 자치적으로 독립하자는 운동이다.

스와데시 운동

우리 손으로 만든 도자기입니다!

영국으로부터 자치 독립하자!

스와라지 운동

1911년, 결국 영국은 인도인들의 저항을 이기지 못하고 벵골 분할령을 취소하고 말았어.

취소

와아, 우리가 이겼다!

영국의 계획이 실패했구나!

'사필귀정'이야. 무슨 일이든 결국 옳은 이치대로 돌아간다는 뜻이지.

어! 너, 그런 말도 아네!

'벵골 분할령' 사건은 인도인들의 민족의식을 일깨웠지만, 한편으로는 힌두교도와 이슬람교도의 갈등이 더욱 커지는 계기가 되었다.

힌두교도

이슬람교도

인도인의 83퍼센트는 힌두교도이고, 11퍼센트는 이슬람교도로 예전부터 종교 싸움이 심했어.

특히 벵골의 동쪽은 이슬람교도가 많았고, 서쪽은 힌두교도가 많았는데, 처음에는 힌두교도와 이슬람교도가 함께 벵골 분할을 반대했다.

동서로 나뉘면 이슬람교도들이 해코지할 게 분명해!

안 그래도 숫자로 밀리는데, 우리끼리라도 뭉쳐야지.

이슬람교도

힌두교도

* 민족의식 : 자기 민족의 존엄과 권리를 지키고 민족을 단결시키고 발전시키려는 의지나 감정

하지만 이때 영국이 수가 적은 이슬람교도를 살살 꼬드겨.

속닥 속닥

우리는 너희를 돕기 위해 벵골을 나누려는 거야.

그래?

평소 자기들 멋대로 하는 힌두교도를 얄미워했던 이슬람교도는 영국을 지지하게 되었다. 결국 분할이 취소되긴 했지만 둘 사이의 갈등이 더욱 깊어진 것이다.

힌두교도, 너희 멋대로 공식 언어를 힌디 어로 정했던 사건을 잊진 않았겠지?

그래도 분할은 안 돼!

종교 문제가 심각하네요.

종교 분쟁은 오늘날에도 여전히 큰 문제가 되고 있어.

간디의 가장 큰 소망 역시 인도의 여러 종교가 서로 돕고 너그러운 마음을 갖는 것이었다고 해.

흥~

제발 서로 잘 지내세요.

쳇!

아, 맞다! 아까 그 간디라는 분에 대해 더 알려 주세요.

샤라락

내가 알려 줄게!

그래, 지금까지는 인도의 상황이었고, 이제부터 간디에 대해 자세히 알려 줄게.

정말 위대한 인물이지. 인도의 민족 운동 지도자이자 인도 건국의 아버지로 존경받고 있어.

마하트마 간디! 위대한 이름이여!

와아~

간디는 1869년 10월 인도 서부에 있는 포르반다르에서 태어났다.

청년 시절, 간디는 영국에서 법률을 공부하고 돌아오면 좋은 일자리와 수입이 보장된다는 권유에 영국 유학길에 올랐다.

그래, 변호사가 되는 거야!

공부 잘 하고 오렴!

그는 런던 법학원에서 법률을 공부하여 1891년 변호사 면허를 따고 인도로 돌아왔다.

이제, 고향으로 돌아가 변호사 사무실을 여는 거야!

돌아온 간디는 뭄바이 등에서 변호사 생활을 하던 중, 1893년에 한 소송 사건을 부탁받았다.

먼 남아프리카에서 일이 들어오다니…

소송을 해결하러 남아프리카로 간 간디는 그곳에서 열차 여행 중 어이없는 사건을 겪게 되었다.

일등석 칸이 어디지?

간디에게는 일등석 표가 있었지만 승무원은 간디가 인도 인이라는 이유로 삼등석 칸으로 가라고 명령한 것이다.

여긴 백인만 이용할 수 있어.

일등석 표가 있는데도요?

삼등석 칸으로 가라는 승무원의 말을 거부하자 경관이 들이닥쳐 간디를 기차에서 쫓아냈다.

여기가 어디라고 감히!

어이쿠, 무슨 이런 말도 안 되는 일이!

당시 남아프리카에 살고 있는 7만여 명의 인도인은 매우 심한 인종 차별을 받고 있었어.

이럴 순 없어!

그 일을 계기로 간디는 남아프리카에서 인도인의 지위와 권리를 위한 인종 차별 반대 투쟁을 벌였다.

우리에게도 똑같은 인간 대우를 해 달라!

간디의 투쟁이 특별했던 이유는 사티아그라하 사상을 주장했기 때문이야. '사티아그라하'는 '비폭력 저항'을 뜻해.

투쟁에 폭력이 쓰여서는 안 된다!

1915년, 인도로 돌아온 간디는 인도인들의 환영을 받았어.

와

간디 님, 존경합니다!

와아

간디는 인도에서 국민 회의를 이끌며 비폭력, 불복종 독립 운동을 이끌었지.

여러분, 폭력은 폭력을 낳을 뿐입니다!

또한 스와데시 운동도 계속해서 펼쳤어.

영국에서 들여온 면제품 옷을 사 입는 것보다, 인도산 목화로 만들어 입는 것이 더 의미 있어.

우리 모두 직접 옷을 만들어 입읍시다!

아, 그래서 간디가 그처럼 검소한 차림을 하고 있구나.

스스로 옷을 만들어 입다니 대단하다!

근데 이러한 간디에게도 후회할 만한 일이 생겨.

?

1919년, 영국 정부는 인도인을 재판 없이 가둘 수 있는 '롤래트 법'을 발표했다.

불순한 행동을 하면 무조건 감옥에 처넣겠어. 이게 다 인도의 질서 유지를 위해서야.

롤래트 법

뭐라고!

이런 부당한 법률에 화가 난 간디는 국민들에게 영국의 뜻에 따르지 않을 것을 강하게 주장했다.

우리 모두 말도 안 되는 법을 따르지 맙시다!

물론 간디는 폭력을 반대했지만 불행하게도 일부 지역에서는 폭력적인 투쟁이 일어나기도 했어.

이런 나쁜 영국인!

때리면 안 돼!

떡

떡

영국군 장군은 수만 명의 시위 군중이 펀자브 지역의 한 공원에 모이는 것을 보고 대책을 세웠어.

아니, 저 지긋지긋한 것들이 또 모여?

영국군은 물러가라! 법률을 취소하라!

와아~

모두 발포 준비!

철컥 철컥

타당탕

으악!

아악!

또 총을 쏘다니! 끔찍해!

휘익

이로 인해 400여 명의 인도인이 목숨을 잃었어.

그 소식을 들은 간디는 당장 항의 운동을 멈추게 하려 했지만, 화가 난 사람들은 더욱 격렬하게 시위를 벌였어.

우리 동포를 살려 내라!

아, 이건 아닌데. 다 내 잘못이야.

더는 못 보겠어. 너무 많은 사람이 목숨을 잃잖아!

으~

저벅

저벅

꼬마야, 친구는 괜찮니?

네! 다행히 기운을 차렸어요.

정말 감사합니다.

꾸벅

이 친구로구나. 하하, 천만에!

안녕하세요, 간디 선생님! 이렇게 뵙게 되어 영광입니다!

저를 아시나요?

인도 역사상 가장 위대한 분이신데, 모를 리가 있나요!

우리 선생님은 간디의 팬이시구나.

그토록 원하시던 인도 독립을 이루어서 기쁘시죠? 저도 감격했답니다!

엥?

우리 나라가 독립 되었다뇨? 그게 무슨 소리인가요?

헉!

아차!

아니 이렇게 독립 운동을 열심히 하는데 설마 독립이 안 되겠느냐고요.

그렇지, 얘들아?

그, 그렇죠.

당신들은 대체 누구신지?

아무튼 저희는 이만 가 볼게요.

피슝

아저씨, 안녕히 계세요!

인도의 독립…!

휴, 하마터면 우리가 미래에서 왔다는 걸 들킬 뻔했네.

헥헥~

선생님 때문에 십 년 감수 했잖아요!

과거를 혼란스럽게 하면 안 되죠.

간디를 실제로 보고 나도 모르게 흥분해서…. 근데 여긴 대체 몇 년도인 거지?

1920년의 인도예요.

아! 아직은 인도가 곧 독립된다는 사실을 모르겠구나.

인도 독립은 언제 되는데요?

제2차 세계 대전이 끝난 뒤, 1947년에 독립해. 하지만 인도와 파키스탄으로 분리되고 말아.

왜요?

힌두교도와 이슬람교도 사이의 대립이 심해져서 끝내 나라까지 갈라지고 만 거야.

영국 녀석들보다 너희 이슬람교도가 더 싫어!

흥! 우리도 너희 힌두교도들이랑 같이 살 생각 없거든?

티격 태격

게다가 인도는 영국 연방의 자치국이 됐어. 반쪽 독립을 이룬 셈이지.

우선 이렇게라도 독립을 하는 거야!

한편 분리된 파키스탄은 동서로 나뉘어 대립함으로써 새로운 분열의 불씨를 지피게 되었다.

우린 너희와 달라!

잘난 척 하기는!

동파키스탄과 서파키스탄은 종교만 같을 뿐 문화, 인종, 역사성 등이 달라 하나로 뭉치기 힘들었다. 결국 계속된 갈등으로 1971년 동파키스탄은 방글라데시로 독립했다.

아프가니스탄

중국

파키스탄 (서파키스탄)

방글라데시(동파키스탄)

인도

아라비아 해

벵골 만

*자치국 : 연방국에 딸려 있으면서 스스로 통치할 수 있는 권리를 가진 나라

분리된 파키스탄과 인도는 자주 대립했고, 지금도 사이가 그리 좋지 않아.

서로 힘을 합쳐 살면 좋을 텐데.

국경

종교 때문에 민족이 갈라지다니. 참 슬픈 일이야.

우리나라도 남북으로 나뉘어 있잖아. 정말 안타까워.

우리 독일도 마찬가지였지.

자, 다시 인도 얘기로 돌아와서…. 자치 독립 후에는 자와할랄 네루가 인도의 초대 총리가 됐어.

여러분, 위대한 인도를 건설합시다!

자와할랄 네루(1889~1964년)

인도 공화국의 초대 총리이다. 간디에게 많은 영향을 받았으나 간디와는 다르게 사회주의를 강조하며 적극적으로 독립 운동을 추진했다. 특히 미국과 소련 어느 쪽에도 참여하지 않는 비동맹주의를 펼쳤으며, 6·25 전쟁이나 인도차이나 전쟁의 조정, 평화 공존 5원칙(판치 실라)은 평화 지역의 확대에 이바지했다.

간디와 함께 있는 네루(왼쪽)

네루 역시 식민지 시절 독립 운동을 하다가 8번이나 감옥에 갇힐 정도로 고생했던 사람이지.

네루는 간디의 친한 동료였고, 간디에게 많은 영향을 받았다. 하지만 두 사람의 생각은 조금 달랐다.

간디가 전통적인 인도의 사상을 추구한 반면, 네루는 전통과 종교에서 벗어난 근대화를 주장했다.

힌두교의 틀 안에 갇혀서는 진정한 인도의 개혁을 이룰 수 없다!

네루가 간디에 비해서 좀 더 현실적이었던 것이다.

훌륭하신 분이지만 가끔씩은 이상이 너무 높다는 생각이 들어.

그 대표적인 예로 간디는 영국이 제안한 파키스탄과 인도의 분리 독립을 한사코 반대했지만, 네루는 받아들였다.

이슬람교도와의 화해는 하루아침에 이루어지지 않아. 우선 인도의 독립과 자치가 중요해.

이즈음에 간디는 정치 활동을 그만두었어.

그래도 인도가 갈라지게 놔둘 수는 없어…

그리고 인도 곳곳을 돌아다니며 이슬람교도와 힌두교도들이 화해하고 다시 합쳐야 한다고 외쳤다.

인도와 파키스탄이 절대 분리되어서는 안 됩니다.

반드시 분리를 막아야 합니다!

그러나 알다시피 인도는 끝내 분리 독립을 하고 만 거야.

그러다 간디는 1948년, 79세의 나이로 한 힌두교도에게 암살당했어. 참 안타까운 일이지….

타앙~!

간디는 그토록 바라던 완전한 독립을 보지 못했고, 분열도 막지 못한 채 숨졌다.

그렇게 훌륭한 분을 왜….

인도인들의 존경을 받는 분이셨잖아요.

하지만 카스트 제도를 인정하지 않았고, 또 이슬람교도를 인정했기 때문에 그를 싫어하는 힌두교도가 많았어.

결국 종교 때문에….

선생님, 이동할 시간이에요!

그래!

이번에는 또 어떤 곳이지?

샤라랑~

이번엔 여러 나라를 가게 될 거야!

기대돼. 빨리 가자! 빨리빨리!

서두를 것 없어.

하여튼 까불기는.

아미 너 자꾸 나한테 시비 걸래?

사실을 말하는 거잖아, 사실을!

*카스트 제도 : 인도의 세습적 계급 제도, 승려 계급인 브라만, 귀족과 무사 계급인 크샤트리아, 평민인 바이샤, 노예인 수드라의 네 계급을 기원으로 현재는 2,500종 이상의 카스트와 부카스트로 나뉨. 계급에 따라 결혼, 직업, 식사 따위의 일상 생활에 규제가 있음

확대되는 민족주의 운동

슈욱

드디어 도착!

낯익은 곳인걸?

여긴 서울, 탑골 공원인데?

맞아요. 이곳은 1919년의 한국이에요.

어쩐지… 사람들이 한복을 입고 있더라.

사람들 표정이 무거워요!

분위기가 심상치 않은데?

모두 주목하십시오!

이제부터 우리 조선의 독립 선언서를 낭독하겠습니다!

우리는 이에 조선이 독립국임과 조선인이 자주민임을 선언한다!

이 선언을 세계 온 나라에 알려 인류 평등의 크고 바른 도리를 분명히 밝혀,

이것을 후손에게 깨우쳐 우리 민족이 자기의 힘으로 살아 가는 정당한 권리를 길이 지녀 누리게 하려는 것이다.

대한 독립 만세!

만세!

만세!

만세~

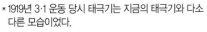

* 1919년 3·1 운동 당시 태극기는 지금의 태극기와 다소 다른 모습이었다.

3·1 운동

1917년 러시아 11월 혁명으로 달라진 시민 의식과 1918년 당시 미국 대통령 윌슨이 처음 주장한 민족 자결주의는 각국의 민족 문제에 대한 관심을 높이고, 식민지 민족의 해방 운동을 북돋았다. 이에 힘입어 1919년 2월 8일, 일본 도쿄에서 조선 유학생들이 '2·8 독립 선언'을 외쳤다. 이어 3월 1일 서울에서 민족 대표 33인이 작성한 〈독립 선언서〉를 낭독하고 대대적인 시위를 펼쳤는데, 이것이 3·1 운동이다.

독립 기념관에 세워진 3·1 운동 조형물

대한 독립 만세!

만세 부르는 놈들 다 체포해!

평화 시위인데, 너무하는 거 아녜요?

부들 부들

아무리 평화 시위라 해도 이 당시엔 독립을 외치는 게 불법이었거든.

조국의 독립을 원하는 게 무슨 잘못이라고!

그런 일본의 폭력적인 억압을 견디다 못해 3·1 운동을 벌이게 된 거야.

저보다 어린 여자아이도 보여요.

남녀노소를 가리지 않고 수많은 사람이 스스로 나서 만세를 외쳤지.

탕탕탕

일본의 억압에 맞서는 우리 조상들의 모습을 잘 봐!

으, 처참하면서도 존경스러워요.

이런!

빨리 날 따라와!
자, 뛰자!

끼아악~

앗! 이게
무슨 소리지?

휘익

누가 좀
도와줘…!

도와주지 못해서
미안해….

허헉!
겨우 피했네.

아까 우리가 일본 헌병들에게 잡혔더라면 끔찍한 일을 당했을 거야.

끔찍한 일이라면…?

감옥에 끌려가서 모진 고문을 당했겠지.

고문까지!

질질

실제로 3·1 운동에 참가한 많은 사람이 잡혀가 혹독한 고문을 받다가 죽어 갔어.

철컥

당시 죽거나 다친 사람이 13,500여 명이었고, 체포된 사람만 해도 46,000여 명이나 됐어.

그렇게 많은 사람이!

나쁜 놈들! 정말 잔인해요!

요제프, 어디 안 좋니? 이번엔 네가 아픈 거야?

아, 아니에요. 괜찮아요.

그래. 한국인은 그렇게 많이 죽고 다쳤는데, 일본인 중에는 겨우 8명만 죽었고 다친 사람은 158명뿐이었어.

정말요?

그만큼 3·1 운동은 비폭력 평화주의 운동이었다는 얘기지.

간디의 '사티아그라하 운동'이 생각나요!

훗, 공부한 보람이 있네!

실제로 간디는 우리나라 3·1 운동의 영향을 받아 사티아그라하 운동을 벌였어.

아, 그렇구나!

하지만 일본 헌병과 경찰들의 무력 탄압이 점차 심해지자, 3·1 운동 이후에 벌어진 만세 운동 중에는 폭력적으로 바뀐 곳도 있었다.

눈에는 눈, 폭력에는 폭력이다!

와아~

여기서 우리가 절대 잊지 말아야 할 점은 많은 사람이 나라의 독립을 위해 목숨을 바쳤기에 지금의 우리가 있다는 거야.

와, 선생님 눈빛이 비장하다!

특히 꽃다운 나이에 순국한 유관순 열사를 잊으면 안 돼!

아, 유관순 언니!

96

＊순국 : 나라를 위하여 목숨을 바침
＊열사 : 나라를 위하여 절의를 굳게 지키며 충성을 다하여 싸운 사람

유관순은 1902년 12월 16일에 충남 천안에서 태어났다.

유관순이 15살이 되던 1916년, 미국인 선교사의 도움으로 서울의 이화학당에 들어가 열심히 공부했다.

그러던 중 1919년, 서울에서 벌어진 3·1 운동에 참여해 만세 시위를 벌였다.

그래, 공부보다 더 중요한 건 나라가 일본의 지배에서 벗어나는 거야!

이후 유관순은 고향으로 내려가 만세 시위를 벌이기로 마음먹었다.

일본에게 빼앗긴 우리나라를 되찾아야 합니다! 모두 눈을 뜨십시오!

1919년 4월 1일, 유관순은 아우내 장터에서 태극기를 나눠 주며 만세 시위에 앞장섰다.

일본 헌병이 온다!

앗!

우르르

으악!

탕

으악~

으악!

탕

그 와중에 유관순의 부모님께서도 돌아가시고 말았어.

으윽

악

아버지! 어머니!

하지만 슬퍼할 겨를도 없이 독립 만세를 외쳐야 했지.

흑흑, 대한 독립 만세!

그러다 결국 일본 헌병들에게 붙잡혀 감옥에 갇히고 말았어.

이것 놔라!

조용히 해!

감옥에서 온갖 모진 고문을 당했지만 그 안에서도 만세 시위를 벌였다.

대한 독립 만세!

만세!

정말 끈질기군.

그러나 1920년 9월 28일, 유관순은 모진 고문을 받다가 열아홉 살의 나이로 감옥에서 숨을 거두고 말았다.

유관순의 묘

꽃다운 나이에 나라를 위해 목숨을 바치다니…

정말 용감하고 대단한 분이야!

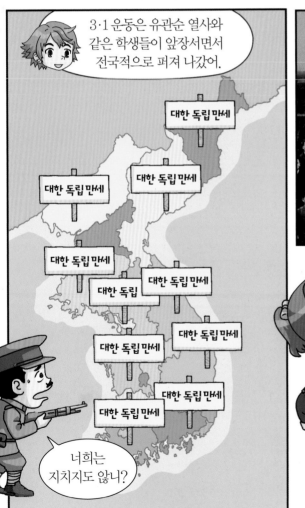

3·1 운동은 유관순 열사와 같은 학생들이 앞장서면서 전국적으로 퍼져 나갔어.

대한 독립 만세

대한 독립 만세

대한 독립 만세

대한 독립 만세

대한 독립 만세

대한 독립

대한 독립 만세

대한 독립 만세

대한 독립 만세

대한 독립 만세

대한 독립 만세

너희는 지치지도 않니?

국내의 독립에 대한 간절한 바람은 해외로도 퍼져 나가 1919년 4월 13일 마침내 중국 상하이에 대한민국 임시 정부가 세워졌다.

정말 훌륭하신 분들이야.

진정한 애국자들인 것 같아.

그리고 3·1 운동 소식은 세계로 널리 퍼져 중국, 인도, 터키 등 다른 식민지 나라에도 큰 영향을 끼쳤다.

조선 사람들 정말 대단하다.

우리 중국도 한번 해 보세.

한국인으로서 정말 자랑스럽고 뿌듯해요!

요제프, 왜 그래?

아무 것도 아니야!

혹시 내가 말을 너무 많이 해서 그러나? 난 그저 우리나라 역사라서 그런 건데….

요제프, 어디 가!

조선말을 쓴다! 저놈들도 시위대일 테니 당장 붙잡아라!

하이!

앗!

이거 봐요!

멈칫

앗!

야 라 랑

북을 쳐서 시간 이동을 하기엔 시간이 부족해!

요제프,
너 혹시….

선생님은 알고
계셨겠죠? 제가
독일의….

특

그래, 요제프
네가 독일 사람인
건 우리도 이미
알고 있잖아?

독일이 전쟁을 일으켰고,
여러 나라를 침략한 것도
알아. 하지만 요제프 네가
그런 건 아니잖아?

맞아.
어른들이 한
짓인데 뭐.

응?

그게 아니라
나는 독일의 정식
군인이었어.

그 표시는?!

차

악

맞아요, 선생님.
저는 나치의 병사
였어요.

나치?

제2차 세계 대전
당시의 독일로 가서
다 털어놓으려고
했는데….

요제프 네가
무시무시한 나치의
병사였다니….

? ? ?

나치?
나치의 병사?

선생님, 그게
뭐예요?

음….

선생님, 나치가 누구고 나치가 뭘 어쨌다는 거죠?

그게, 설명하려면 좀 긴데….

내가 어디서 무슨 짓을 했는지 어차피 곧 알게 될 거야.

지금은 더 급한 일이 있어.

급한 일?

그래, 그건 나중에 일어난 일이니까 다음에 듣도록 하자.

지금은 같은 시기에 고통받은 나라들을 돌아봐야 해.

20세기 초, 제국주의가 판치던 시대에 세계 여러 나라가 얼마나 불행했는지….

영국

프랑스

독일

러시아

쉬익

이걸 너희에게 알려 주는 게 마르스 님의 전령이 된 나의 임무니까!

이 시기에는 우리나라뿐만 아니라 아시아와 아프리카의 여러 나라가 식민 지배로 고통받았어.

우리나라가 일본의 식민 지배를 받은 것처럼 다른 나라들도 그랬다는 거예요?

그렇지.

다른 나라들은 어땠을까?

자, 직접 가서 확인해 볼까?

그럼 출발할게요!

이번에 갈 곳은 한국의 이웃 나라 중국!

아, 판다가 있는 나라! 판다도 볼 수 있겠지?

둥둥둥

지금 관광하는 거 아니거든!

농담도 못 하냐!

미르는 이런 상황에서도 떠드니!

20세기 초, 중국 역시 여러 강대국의 침략으로 반식민지 상태에 놓여 있었다.

중국을 억압하는 서구 세력들은 물러가라!

일본도 물러가라!

104

여긴 1919년, 중국의 수도 베이징이야. '5·4 운동'의 현장에 와 있는 거지.

5·4 운동?

5·4 운동은 1919년 5월 4일, 중국 베이징의 학생들이 일으킨 반제국주의, 신문화 운동이야.

아, 아까 3·1 운동의 영향을 받았다던 운동이 바로 5·4 운동인가 봐.

중국의 3·1 운동이라고 할 수 있겠다.

응. 그렇다고 할 수 있지.

저 작은 나라도 독립을 위해 힘쓰는데, 우리도 가만히 있을 수 없어! 자, 일어나자!

와아~

와!

한국

중국

5·4 운동은 파리 강화 회의에서 전쟁에 진 독일이 갖고 있던 중국 산둥 성 일대의 권리를 일본이 자신들에게 넘기라고 요구한 것이 계기가 되었다.

우리가 전쟁에 이겼으니 '대중국 21개조 요구'를 무조건 들어 줘야 해.

중국은 일본의 대중국 21개조 요구가 부당하다고 주장했지만 무시당했어.

이건 정말 부당합니다!

중국 대표는 좀 조용히 하세요!

하지만 일본과 손잡은 베이징 정부가 이를 받아들이자 화가 난 베이징 학생들이 톈안먼 광장에 모여 반대 시위를 했지.

어떻게 일본의 말도 안 되는 요구를 받아들일 수 있지?

뭐 잘못 먹은 거 아냐?

* 대중국 21개조 요구 : 제1차 세계 대전 중 일본이 중국에 대해 요구한 21가지 조건. 그중에는 산둥 성 일대의 권리 외에도 토지, 철도, 산업 전반에 걸쳐 일본에 유리한 내용이 담겨 있음

이 운동은 점차 국산품 애용, 일본 상품 불매 등을 주장했고, 정부는 군대를 동원해 이를 탄압했다. 그러자 5·4 운동은 오히려 더욱 빠르게 퍼져 나갔다.

어린 학생들도 나라의 앞날을 걱정해 시위에 참가하는데, 우리라고 손 놓고 있을 수 없습니다!

이들은 반제국주의 운동에 그치지 않고 봉건주의도 반대했어.

국민들을 괴롭히는 봉건주의에서 벗어나자!

베이징 정부는 결국 민중에게 항복하고 말았지.

으, 알았어! 항복!

진작 그럴 것이지!

벌벌~

모두 힘을 합치면 안 될 일이 없구나!

'뭉치면 산다!' 라는 말 모르니?

중국 산둥 성 칭다오에 세워진 5·4 운동 기념 공원

5·4 운동은 러시아 혁명의 영향도 받아서 공산주의 운동과도 관련이 있어.

그럼 여기에도 공산당이 생기는 거야?

응. 이 5·4 운동을 계기로 중국에도 공산당이 등장하게 되었지.

우리 모두 재산을 공동으로 관리하자!

모두가 평등하게 잘살아 보자!

문제는 공산당의 세력이 점점 커지면서 국민당과 세력 다툼에 휩싸이게 된 거야.

왜?

1920년대 중국 최대 세력은 바로 장 제스가 이끄는 국민당이었다.

국민당은 당시 중국인의 정신적 스승이었던 쑨 원이 1912년에 세운 당으로, 쑨 원이 죽자 후계자였던 장 제스가 당권을 물려받았다.

국민당의 미래를 부탁하네!

예, 스승님!

쑨 원 (1866~1925년)
중국 혁명의 선두자이다. 중화민국의 초대 임시 총통을 지냈으며, 국민당 정부 시대에는 '나라의 아버지'로서 최고의 존경을 받았다.

*봉건주의: 높은 위치에 있는 사람이 절대적인 힘을 가지고 낮은 위치에 있는 사람을 다스리는 방식
*당권: 당의 주도권

장 제스 (1887~1975년)
국민당 총재 시절, 공산당과의 대결에서 패배한 후 1949년 타이완 섬으로 탈출했다. 그곳에 독립적인 정부를 세워 타이완을 지배했다.

장 제스는 일본보다도 공산당을 더 큰 적이라고 생각했어.

일본이 피부병이라면 공산당은 심장병이다!

그러니까 지금 병원에 가 보란 얘기지?

이 바보야! 공산당을 꼭 물리치란 말이잖아!

그래서 국민당은 일본군과 싸우기보다는 공산당을 몰아내는 데 힘을 기울였지.

동포들을 더 미워하다니…!

으악

탕

탕

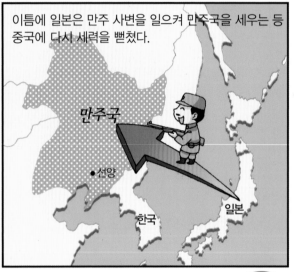

이튿날 일본은 만주 사변을 일으켜 만주국을 세우는 등 중국에 다시 세력을 뻗쳤다.

만주국

•선양

한국

일본

만주 사변

일본이 일으킨 만주 침략 전쟁이다. 일본은 중국 침략의 구실을 만들기 위해 '류탸오후 사건(철도 폭파 사건)'이라는 자작극을 벌였다. 이 사건을 중국 장 쉐량에게 덮어씌운 일본은 1931년에 중국 만주 지역으로 쳐들어갔다. 곧 만주를 장악한 일본은 청나라의 마지막 황제 푸이를 꼭두각시 왕으로 삼아 1932년 선양에 만주국을 세웠다. 이러한 침략 행위는 1937년의 중일 전쟁과 1941년의 태평양 전쟁으로 확대되었다.

만주국 건국 기념일을 축하하는 사람들. 맨 앞줄 가운데 안경 쓴 사람이 푸이다.

다른 나라가 쳐들어왔는데도 자기들끼리 싸우기 바쁘다니 참 한심해요!

힘을 합쳐서 일본군부터 몰아냈어야죠!

그러던 중 1936년에 '시안 사건'이 일어나 국민당과 공산당이 힘을 합치게 돼. 이후 한동안 함께 일본군에 맞섰지.

시안 사건?

그게 뭐예요?

시안 사건은 국민당군의 장교였던 장 쉐량이 시안에 들른 장 제스를 덮쳐 체포한 뒤 일본에 맞서 싸우길 요구했던 사건이다.

지금 공산당이니 국민당이니 따질 때요?

네, 네 놈이 감히!

마침내 장 제스는 마음을 바꿔 공산당과 힘을 합쳐 일본군에 맞서 싸우기로 했어.

일단 민심을 따라 일본군을 물리치는 것이 옳습니다.

암튼 좋아. 하지만 장 쉐량은 처벌하도록!

이 사건으로 장 쉐량은 지휘권을 빼앗기고 10년 형에 처해졌지만 그의 활약으로 국민당과 공산당이 힘을 합칠 수 있었다.

누가 뭐라 해도 난 옳은 일을 한 거야.

이렇게 단결된 중국군의 반격에 일본군은 큰 타격을 입고 말았지.

중국군

우헤헤~

쟤가 갑자기 왜 저렇게 커진 거야?

일본군

중국도 드디어 다른 나라의 침입에서 벗어났겠네요!

역시 힘을 합치면 못 할 일이 없다니까!

자, 이제 한국과 중국 외에 다른 나라의 민족 운동을 알아볼 차례야.

역사는 어렵기만 한 줄 알았는데 흥미진진하다!

맞아!

이번에 가 볼 나라는 어디야?

휘릭

동남아시아의 베트남이에요!

20세기 초의 동남아시아

인도

미얀마

라오스

벵골 만

시암

필리핀

캄보디아

베트남

남중국해

말레이시아

싱가포르

인도네시아

영국령
프랑스령
네덜란드령

베트남은 열대 지방이라서 꽤 더울 거야. 조금만 참아.

어휴, 더워!

프랑스를 베트남에서 몰아냅시다!

여기는 1927년의 베트남이야. 저기서 연설하는 사람이 바로 베트남의 위대한 지도자인 호찌민이지.

＊시암 : 타이 왕국의 옛 이름

호찌민 (1890~1969년)
베트남 독립 동맹회를 만들어 민족 해방 운동을 이끌었다. 1945년 베트남 민주 공화국의 독립을 선언하고 정부 주석을 지냈다.

이 시기의 베트남은 프랑스의 식민지였어.

프랑스도? 욕심이 없는 나라가 없네.

베트남 사람들도 고통을 겪었겠지?

호찌민은 베트남의 독립을 선언하기 위해 1919년, 프랑스에서 열린 파리 강화 회의 현장으로 직접 찾아갔다.

베트남 인과 프랑스 인을 똑같이 대우해야 하며, 프랑스 의회에 베트남 대표가 참석할 수 있도록 해 주시오. 그리고 또….

1919년 베르사유 사무국

하지만 호찌민의 제안은 파리 강화 회의에서 받아들여지지 않았지.

내 이럴 줄 알았어! 다른 방법을 써야겠군.

툭

그리하여 1925년, 호찌민은 '베트남 혁명 청년 협회'를 만들어 공산주의 혁명 사상을 베트남 사람들에게 널리 퍼뜨렸다.

어둠 속에서 깨어나시오!

1927년에는 베트남 국민당이 만들어지면서 프랑스에 본격적으로 맞섰다.

더 이상 식민지 국가로 살고 싶지 않다!

하지만 1930년, 베트남 국민당이 일으킨 무장봉기 사건은 실패하고 말았어.

함부로 까불지 말라고 했지!

이 사건으로 베트남 국민당은 완전히 무너졌고, 호찌민이 이끈 베트남 공산당도 프랑스의 끈질긴 탄압으로 힘이 약해졌다.

결국 홍콩에서 체포되는군….

결국 베트남은 한동안 프랑스의 식민 지배를 받게 되지.

아시아 여러 나라들이 비슷한 처지구나!

정말 슬픈 일이야.

그래서 다시는 이런 비극적인 일이 생기지 않도록 역사를 제대로 알아야 하는 거야.

아~

비록 떠올리기 괴롭고 힘든 역사일지라도!

선생님 말씀이 맞아요….

112 　＊무장봉기 : 지배자의 무력에 대항하여 피지배자가 전투에 필요한 장비를 갖추고 떼 지어 세차게 일어나는 일

전 앞으로 역사 공부를 더 열심히 할 거예요.

제법인데!

이제 역사 체험 효과가 나타나네! 자, 다른 나라 얘기도 들려줄게.

헤헤, 그래도 공부보단 노는 게 더 좋아!

그럼 그렇지!

너희 인도네시아 알지? 인도네시아도 베트남처럼 식민 지배를 받고 있었어.

아, 수많은 섬으로 이루어진 나라!

나도 그 정도는 알아!

17세기부터 네덜란드는 동인도 회사를 통해 인도네시아 모든 섬의 정치와 경제를 지배했지.

이제 13,600개가 넘는 섬이 다 우리 거야! 우하하!

그러자 인도네시아에서도 민족주의 영향을 받아 독립 운동이 일어났어.

우리도 독립할 때가 됐어!

1927년, 수카르노를 중심으로 인도네시아 국민당이 세워져 독립 운동을 펼쳤다.

국민 여러분! 우리 모두 싸웁시다!

* 수카르노(1901~1970년) : 인도네시아의 초대 대통령. 민족주의·종교·공산주의를 삼위일체로 하는 '민족 통일 전선'을 주장했으나, 반공 세력이 커지면서 자리에서 내려옴

그러나 2년에 걸친 긴 투쟁에도 불구하고 수카르노를 비롯한 지도자들이 체포되면서 독립에 실패했다.

으, 분하다. 하지만 언젠가는 꼭 독립할 것이다!

결국 1945년이 되어서야 수카르노가 독립을 선언했고, 1950년에 완전한 독립국이 되었지.

독립이 정말 쉽지 않네요.

반네덜란드 독립 전쟁을 기념하여 세워진 욕야카르타 독립 기념관

이번에는 오스만 제국 이야기야.

오스만 제국?

지금의 터키를 말해.

제1차 세계 대전에서 진 오스만 제국에서 역시 민족 운동이 활발히 일어났어.

승전국들의 횡포가 너무 심해!

우리를 좀 내버려 두면 좋으련만…

승전국들은 오스만 제국의 주요 도시와 항구를 빼앗았고, 제국의 넓은 영토를 나누라고 강요했다.

너희가 갖고 있는 땅이 참 많더라.

좀 나눠 갖지?

오스만 제국

그리스는 이렇게 혼란스러운 틈을 타 1919년, 오스만 제국에 전쟁을 선포하여 일부 땅을 빼앗기도 했다.

그동안 우릴 그렇게 괴롭히고도 무사할 줄 알았냐?

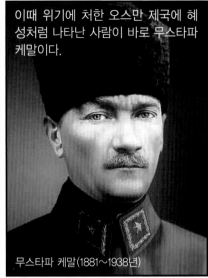

이때 위기에 처한 오스만 제국에 혜성처럼 나타난 사람이 바로 무스타파 케말이다.

무스타파 케말(1881~1938년)

케말은 1920년 정부가 아랍·북아프리카에 대한 권리를 포기한다는 '세브르 조약'을 연합국과 맺자 국민군을 조직했어.

그리스 군을 물리칠 준비를 한 거지.

무스타파 케말은 군대를 지휘하여 마침내 1921년에 그리스 군을 물리쳤어.

내가 이 정도야! 하하하!

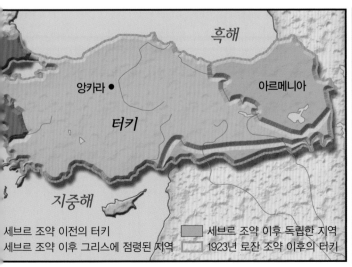

흑해

앙카라 ●

아르메니아

터키

지중해

세브르 조약 이전의 터키   세브르 조약 이후 독립한 지역
세브르 조약 이후 그리스에 점령된 지역   1923년 로잔 조약 이후의 터키

1922년, 케말은 술탄 제도를 없애고 정치와 종교를 분리하는 개혁을 실시했다.

낡은 관습을 깨 버립시다!

* 세브르 조약: 제1차 세계 대전이 끝난 후인 1920년에 연합국과 패전국인 오스만 제국 사이에 맺은 조약. 이 조약으로 오스만 제국이 사라짐
* 술탄: 오스만 제국의 황제를 이르는 말

그리고 1923년에는 터키 공화국을 선언했다. 오스만 제국을 터키 인 중심의 단일 민족 국가로 재탄생시킨 것이다.

오스만 제국에서 터키 공화국으로!

와, 카리스마가 넘쳐!

그는 서구 문물을 적극적으로 받아들이고 근대적인 헌법도 채택했어.

우리 터키는 아시아 최초로 남녀 평등 선거를 시행할 것입니다!

와아~

와아~

케말은 터키의 근대화와 독립을 이룬 사람으로, 튀르크 인의 아버지라는 뜻인 '아타튀르크'라는 칭호가 붙었어.

아타튀르크라고 불릴 만하네.

남녀 평등 선거를 했다는 것이 놀라워.

비슷한 시기에 아랍과 아프리카의 나라들도 민족 운동을 했어.

아프리카는 알겠는데 아랍은 어디야?

잘 봐. 여기가 아랍 나라들이 있는 아라비아 반도야.

사우디 아라비아

쿠웨이트

바레인 — — 카타르

아라비아 반도

아랍 에미리트

오만

홍해

예멘

아라비아 해

116　＊공화국 : 주권이 국민에게 있는 나라

아랍 나라들은 제1차 세계 대전이 끝난 후 독립을 약속받았어.

하지만 그 약속이 지켜지지 않자 독립 운동이 일어난 거야.

그래서 독립에 성공했어?

응. 이란에는 팔레비 왕조가 생겨났고, 메소포타미아에는 이라크 왕국, 아라비아 반도에는 사우디아라비아 왕국이 세워졌지.

그럼 아프리카의 민족 운동은 어땠어?

유럽 강대국들에 의해 나누어진 아프리카에서도 독립 운동이 일어났어.

그중 이집트는 1898년에 일어난 파쇼다 사건 때문에 영국의 지배를 받고 있었어.

아, 파쇼다 사건!

맞다, 자세히 알려 주기로 했잖아!

파쇼다 사건

19세기 말 식민지를 차지하기 위해 아프리카로 진출한 영국은 아프리카 대륙을 위아래로 잇는 '종단 정책'을 펼쳤고, 프랑스는 대륙을 좌우로 잇는 '횡단 정책'을 펼쳤다. 파쇼다 사건은 이 두 나라가 수단의 수도 파쇼다에서 충돌한 사건이다. 그러나 두 나라가 서로 협의하여 영국이 이집트를, 프랑스가 모로코를 각각 세력 안에 두기로 결정했다. 그리하여 이집트는 영국의 지배를 받게 된 것이다.

이집트는 우리 땅!

모로코는 우리 땅이야!

모로코 / 알제리 / 카이로 / 이집트 / 수단 / 파쇼다 / 가봉 / 케이프

프랑스령
영국령
프랑스 진로
영국 진로

제1차 세계 대전이 끝날 무렵 이집트는 민족주의 운동의 지도자인 자글룰 파샤를 중심으로 독립 운동을 펼쳐, 1922년, 영국으로부터 조건부 독립을 이루었다.

영국은 물러가라!

이후 1924년, 이집트의 총리가 된 그는 영국군의 철수와 수에즈 운하 통제권 문제 등을 놓고 영국과 강력히 맞섰다.

수에즈 운하는 우리가 관리해야 합니다!

하지만 안타깝게도 별다른 성과를 거두지 못하고 세상을 떠났어.

원통하구나!

흑흑~

독립하기가 참 힘들구나.

또한 이집트를 포함해 사하라 사막 북쪽 나라들인 튀니지, 알제리, 리비아에서도 독립 운동이 활발히 일어났어.

알제리 튀니지

리비아

이집트

사하라 사막

이들은 특히 범아프리카주의의 영향을 받았어.

범아프리카주의

1900년 런던에서 시작된 범아프리카주의는 전 세계에 퍼져 있는 흑인의 힘을 하나로 합치기 위한 운동이었다. 주로 미국과 서인도 제도의 흑인들이 앞장섰다.

시간이 지나 1945년경 이 운동은 아프리카로 흘러들어가 조직화되었고, 아프리카의 독립을 주장하는 바탕이 되었다.

이후 1957년에는 가나의 독립을 시작으로 1963년까지 아프리카 대부분의 나라가 독립했고, 이때부터 아프리카의 통일 문제가 범아프리카주의의 주요한 목적이 되면서 범아프리카주의는 대규모로 확대되었다.

정말 많은 나라가 독립을 원하고 있었구나.

그만큼 강대국에게 억압당하고 고통받았던 나라가 많았던 거지.

으, 힘센 나라들의 욕심은 끝이 없어!

그들 때문에 죽어 간 사람들은 또 어쩌고!

으윽!

이게 다가 아니야.

다가 아니라니? 그럼 또 무슨 일이 일어났다는 거야?

응. 비록 나에게는 슬픈 기억이지만 너희에게 알려 주어야 할 것 같아.

무슨 일인데?

괜찮으니까 말해 봐.

내가 하는 얘기 듣고 너희가 날 미워하게 될까 봐 겁나.

요제프, 너무 걱정하지 마. 그건 네 잘못이 아니야.

그럼 얘기할게. 바로 절대 일어나지 말아야 했던 제2차 세계 대전이 일어났어!

제2차 세계 대전?

1939년 9월 1일에 독일이 폴란드를 침략하면서 시작된 이 전쟁은 1945년 8월 15일, 일본이 미국에 항복하면서 끝이 났다. 전 세계적으로 죽은 사람과 다친 사람이 수천 만 명에 이르는 이 끔찍한 전쟁은 제1차 세계 대전에 비해 동원된 병사는 약 2배, 전사자는 약 5배, 일반인 희생자는 약 50배나 되었다.

히틀러와 무솔리니, 그리고 일본 제국

그 끔찍한 전쟁이 왜 일어난 건데?

이유가 있을 거 아냐?

이 전쟁도 강대국들의 욕심 때문에 일어났어. 정확히 말하면 전체주의가 퍼지면서 일어났지.

전체주의?

그게 뭔데?

전체주의란 국가가 강력한 힘으로 국민 생활을 간섭·통제하는 사상을 말해.

국가가 국민을 마음대로 부린다는 뜻이네요?

그래. 대표적으로 히틀러의 나치즘과 무솔리니의 파시즘, 일본의 군국주의가 있어.

엥? 나치즘, 파시즘은 뭐고 군국주의는 뭐예요?

갈수록 모르는 얘기만 나오네.

안 되겠다. 여기서 이러지 말고 제2차 세계 대전이 일어난 독일로 직접 가자. 거기 가서 왜 전쟁이 일어나게 됐는지 알려 줄게.

전쟁이 일어난 곳으로… 간다고?

미르가 아까 받은 충격 때문에 겁이 나나 봐요.

미르야, 너무 걱정 하지 마. 이건 가상 현실이잖아.

네….

그럼 독일로 출발!

출발!

타핫

우리가 지금 와 있는 곳은 1938년…

아돌프 히틀러가 총통으로 있던 시절의 독일이야.

히틀러?

너희, 히틀러를 아니?

그야 물론이지. 유대 인들을 많이 죽인 사람이잖아.

너 그런 것도 알아?

너만 빼고 다 아는 사실일걸?

흥, 어쩌다 알아 놓고!

아미가 잘 알고 있네. 하긴 모를 리가 없지…

히틀러는 세계 역사를 뒤흔든 사람이니까.

아돌프 히틀러
(1889~1945)

독일의 정치가이다. 나치 당의 최고 책임자로, 독일인의 우월성을 강조하며 유대 인을 모조리 없애려는 정책을 펼쳤다. 제2차 세계 대전을 일으킨 장본인인 그는 연설 능력이 뛰어나 대중을 잘 선동했다. 독일이 전쟁에 질 기미가 보이자 베를린의 지하 벙커에서 자살했다. 저서로는 《나의 투쟁》이 있다.

히틀러는 왜 사람들을 죽이고 괴롭힌 거야?

그리고 당시 독일 사람들은 왜 나쁜 히틀러를 따랐을까?

* 벙커 : 언제든지 적과 싸울 수 있도록 설비 또는 장비를 갖추고 부대를 배치하여 둔 곳
* 선동 : 연설과 행동으로 대중의 감정을 부채질하여 일정한 행동 대열에 참여하게 함

안 그래도 그 당시 이야기를 해 주고 싶었어.

?

그러려면 제1차 세계 대전이 끝나고 나서 유럽이 어떤 상태에 있었는지를 먼저 알려 주는 것이 순서겠죠?

그래! 그게 좋겠다.

베르사유 체제

제1차 세계 대전 후에 세워진 새로운 국제 질서이다. 베르사유 체제의 바탕은 제1차 세계 대전 이후 파리에서 열린 파리 강화 회의에서 마련되었다. 여기서 1919년 6월 28일 연합국과 독일 사이에 강화 조약이 맺어졌는데 이 조약이 바로 '베르사유 조약'이다. 이 조약으로 독일은 식민지를 잃고, 프랑스에게 알자스-로렌 지방을 돌려주어야 했다. 또 330억 달러의 전쟁 배상금을 지불해야 했고, 군비 제한을 받았다.

베르사유 조약을 맺고 있는 베르사유 궁전 거울의 방

제1차 세계 대전이 끝난 베르사유 체제 만들어졌어

베르사유 조약에서 정해진 전쟁 배상금은 사실상 독일이 갚기 불가능한 액수였다.

먹을 것도 없는 판에

무슨 돈을 달라는 거냐!

그리고 독일은 주변의 승전국인 영국과 프랑스의 감시를 받아야 했다.

런던 회의 기억하지?

로카르노 조약 어기면 안 된다!

124 * 런던 회의 : 런던에서 열렸던 국제 회의를 통틀어 이르는 말. 본문에서는 1921년에 독일에 대한 배상 문제에 관한 회의를 가리킴
　　　* 로카르노 조약 : 1925년 10월 26일 스위스 로카르노에서 유럽 여러 나라들이 맺은 조약. 조약국 사이에 서로 침범하지 않기, 독일과 가까운
　　　나라 침범하지 않기, 독일 국경 지대를 무장하지 않기로 규정하고 있음

이러한 조약이 맺어진 데에는 유럽 여러 나라가 독일을 경계하는 마음이 크게 작용했어.

독일은 강해지면 또 전쟁을 일으킬 겁니다!

전쟁이 다시 일어나지 않으려면 독일이 전쟁 준비를 못 하도록 계속 감시하고 견제하는 수밖에요!

흑흑, 그래도 너무해.

그러니까 전쟁을 일으키지 말았어야지.

죗값을 치르는 거지 뭐.

또 전쟁이 끝날 무렵에 독일은 정치적 변화를 겪게 됐어.

이대로는 곤란해! 방법을 찾자!

1918년 11월, 전쟁이 끝나기 직전에 혁명이 일어나 군주제에서 공화제인 '바이마르 공화국'으로 바뀐 거지.

드디어 우리도 낡은 제도에서 벗어났어!

민주적인 헌법을 가진 바이마르 공화국이 세워졌지만, 오히려 독일의 사회적인 불만은 커지고 말았다.

공화국으로 바뀌면 뭐 해! 관리나 군인들은 군주제에서 벗어나질 못하는걸!

겉과 속이 다른 거지, 뭐!

* 군주제 : 세습에 의해 결정된 왕이 나라를 다스리는 정치 형태
* 공화제 : 국민이 뽑은 대표자 또는 대표 기관에 의해 주권이 행사되는 정치 형태

바이마르 공화국을 이끌었던 사회민주당은 군주제 시절부터 행해 오던 방식을 바꿀 생각도 하지 않고,

우리는 연합국과의 약속을 지켜야 합니다!

승전국의 요구에 속수무책으로 이끌려 가 국민들은 불만이 쌓여 갔다.

저들은 치욕스러운 베르사유 조약에 서명한 장본인들이라고!

혼란스러운 독일을 가만히 보고만 있을 생각인가?

결국 일부 사업가들만 부자가 되고 서민들은 더욱 가난해졌지.

게다가 제대한 군인들이 넘쳐 나 실업자가 늘어났어.

이러한 불만 속에서 등장한 것이 바로 '독일 국가 사회주의 노동당', 즉 '나치 당'이다.

이제 슬슬 나의 시대가 올 것이다.

흠흠

독일 국가 사회주의 노동당

국가 사회주의로 알려진 대중 운동을 추진한 독일 정당으로, '나치 당'이라고도 한다. 당의 지도자는 아돌프 히틀러로 독일인의 우월성을 강하게 주장했다.
1933년 정권을 잡았으나 1945년 독일이 제2차 세계 대전에서 패배하자 나치 당은 불법이 되고, 당 최고지도자들은 평화와 인간성을 짓밟는 국제 범죄를 저지른 것으로 판명되어 유죄 판결을 받았다.

깃발에 새겨진 갈고리 십자 모양은 '하켄크로이츠'라고 하는 나치 당의 상징이야.

히틀러는 사람들에게 사회민주당과 바이마르 공화국을 비난했지.

공화국 정부는 무능하오. 가난한 사람을 도와주고 행복한 민족 공동체를 세우겠소!

절망에 빠진 독일 국민들은 히틀러의 연설에 마음이 흔들렸어.

정말 그랬겠네요.

우리 게르만 족이야말로 가장 위대한 민족이오! 게르만의 위대한 제국을 세우겠소!

왕소 왕소

하지만 히틀러는 순수한 마음으로 이런 게 아니었어.

히틀러는 당을 보호하고, 반대파인 공산당을 몰아내려고 폭력 단체인 '돌격대 SA'를 만들었지.

이들이 '돌격대'라 불리는 이유는 사회민주당원들과 권총을 쓰며 싸움을 벌였기 때문이다.

우리는 평소에 무기를 갖고 다니면서 힘으로 반대파를 억눌렀지.

무섭다….

요제프, 네가 저런 사람들과 정말 함께한 건 아니겠지?

…

괜찮아, 요제프. 계속해.

네.

나치 당의 규모가 점점 커지자, 히틀러는 마침내 뮌헨에서 폭동을 일으키기로 결심했어.

공산당을 물리쳐 혼란스러운 독일을 구해 내자!

뮌헨의 한 맥주홀에서는 바이에른 주의 우익 모임이 모임을 열고 있었지.

히틀러는 맥주홀로 쳐들어가 그들을 협박하여 폭동에 동참하도록 했어.

1923년에 일어난 이 사건을 '뮌헨 폭동'이라고도 하고, 뮌헨 맥주홀에서 시작됐기 때문에 '맥주홀 사건'이라고도 한다.

모두 돌격!

뮌헨 폭동을 일으키는 나치 당

하지만 이 폭동은 경찰이 저지하여 실패했고, 체포된 히틀러는 5년 형을 받았지만 8개월 만에 풀려났다.

나치 정부를 만들 수 있는 기회였는데!

좀 조용히 하쇼!

그가 감옥에서 생활 하는 동안 쓴 책이 바로 《나의 투쟁》이야.

나의 투쟁

히틀러

《나의 투쟁》은 히틀러가 완성한 유일한 책으로, 그의 사상을 알 수 있어.

어떤 내용인데?

이 책에는 히틀러의 젊은 시절, 제1차 세계 대전, 독일 패망에 대한 배신감 등의 내용이 담겨 있고, 유대 인을 기생 동물로 표현하고 있어.

사람을 동물 취급하다니!

이후 히틀러는 나치를 다시 세워 많은 사람의 감정에 호소하는 연설을 했고, 사실과 다른 이야기를 퍼뜨렸다.

대중은 작은 거짓말보다 큰 거짓말에 잘 속거든. 흐흐~

이때부터 히틀러는 정치적으로 권력을 잡기 시작했어.

사람들을 더 끌어들이려면 연설을 더 화려하게 연출 해야겠어.

＊우익 : 정치나 사회 문제에 대해 보수적인 성향을 가진 집단
＊패망 : 싸움에 져서 망함

실제로 히틀러는 자신이 연설할 무대를 치밀하게 설계하고 전문 기술을 이용하여 만들었다고 해.

연설을 무척 중요하게 생각했나 봐요.

그래서 뛰어난 선동가라는 거지.

심지어 혼자 거울 앞에서 연설하면서 자신의 연설 모습을 스스로 확인하기도 했어.

그러던 중 1929년 무렵, 나치의 세력이 더욱 커지는 계기가 생겼어.

돈의 가치는 떨어지고 물가는 올라 서민들이 살기 힘들어지자 불만이 쌓인 거야.

이 빵 하나 주세요.

그 돈으로는 턱도 없슈!

독일 경제가 휘청거리게 된 것은 제1차 세계 대전에 따른 어마어마한 전쟁 배상금이 큰 원인이었다.

미국

독일

330억 달러나 되는 돈을 언제 갚아!

흠, 저러다 독일도 자본주의에 불만을 갖고 소련처럼 사회주의 나라가 될지도 몰라!

털썩

온 국민이 한 푼도 안 쓰고 몇 년을 갚아도 어림없어.

사회주의 나라가 늘어나면 자본주의 나라에 이로울 게 없다고 생각한 미국은 독일에 전쟁 배상금을 빌려주고, 많은 돈을 들여 경제를 어느 정도 회복시켰다.

사정이 딱하니까 특별히 도와줄게.

우아, 고마워!

그러나 1929년, 미국의 경제 대공황으로 그만….

미안! 우리도 힘들어서 더 이상 못 도와주겠어.

이제 와서 어쩌라고!

이게 아까 말한 대공황이구나.

미국의 경제 대공황

1929년 10월 24일 미국 뉴욕 월가에서 주식 가격이 크게 떨어지면서 시작된 사상 최대의 경제 혼란 현상이다. 1933년 말까지 대부분의 자본주의 나라가 영향을 받았으며, 1939년까지 계속됐다. 제1차 세계 대전 후의 미국은 겉으로는 풍요로워 보였지만, 속으로는 지나친 생산과 실업자 문제가 심각했기 때문에 10월의 주가 대폭락은 빠르게 퍼져 경제 활동을 마비시켰다. 이후 뉴딜 정책 등 불황 극복 정책을 펼친 미국은 제2차 세계 대전으로 경기를 회복했고 전쟁 중에는 소득이 약 2배로 늘어났다.

무료 급식을 받기 위해 줄을 선 뉴욕의 노숙자들

대공황의 영향까지 받은 독일은 마르크화의 가치가 바닥까지 떨어져 버리고 말았다.

돈을 많이 찍어 내니까, 돈의 가치가 더 떨어졌어. 흑흑~

그리고 실업자 수가 600만 명이나 되었어. 우리 부모님께서도 이때 살기가 매우 힘들다고 하셨지.

저런!

* 마르크화 : 독일의 화폐 단위. 1마르크는 1페니히의 100배이다. 현재 독일은 유로화를 씀
* 뉴딜 정책 : 트럼프 카드를 새로 나누어 준다는 뜻으로, 1933년 대공황 때 루스벨트가 미국 정부의 경제 정책을 회복시키기 위해 사용한 정책

이제 독일인들은 중대한 선택을 해야만 했어. 나라의 운명이 위태로울 정도로 상황이 나빠졌거든.

이대로는 안 되겠소.

노동자 계급을 대표하는 좌익은 독일 공산당으로 모여 들었다.

경제가 어려워 지니까 우리 임금이 자꾸 적어져.

해고당하는 사람도 늘어가고.

우리 독일도 사회주의 국가가 되면 살기 좋아 지지 않을까?

반대로 자본가와 지주 계급을 대표하는 우익은 나치 당을 지지했다.

공산당이 사회주의 혁명을 일으키면 우리 재산을 뺏길지도 몰라!

우익과 나치 당이 서로 뜻이 맞았던 거야.

지주 계급은 우리 나치 에게 큰 자금을 대줄 수 있으니 일석이조야!

마침내 1933년 1월, 히틀러는 나치 당의 총리가 되어 정권을 차지했다.

이제부터 시작이야…

나치 당은 자본과 권력을 갖게 되자 눈에 거슬리는 독일 공산당을 없애려는 음모를 꾸몄어.

총선거에서 반드시 이겨야 해. 그러려면 공산당부터 없애 버려야지.

132 * 좌익: 정치나 사회 문제에 대해 급진적이거나 사회주의적인 성향을 가진 사람이나 단체

그러던 중 뜻밖의 일이 일어났어.

뜻밖의 일이라니?

총선거가 있기 일주일 전, 국회의사당에 불이 난 거야.

범인은 네덜란드의 루페라는 공산주의자로 밝혀짐으로써 이 사건은 공산당을 없애려는 나치 당에 유리해졌다.

어머, 공산당 무섭다!

어휴, 가뜩이나 불안해 죽겠는데 왜 저래.

나치 당이 불 내고 뒤집어씌운 거 아냐?

내 말이!

그런 의견도 있지만 확실하게 밝혀진 건 아직 없어.

결국 나치 당은 총선거에서 승리하며 세력을 더욱 크게 키웠다.

내 사전에 불가능이란 없어!

나, 나폴레옹! 그건 그럴 때 쓰라고 한 말이 아니거든!

1934년, 대통령이던 힌덴부르크가 죽자 마침내 히틀러가 대통령과 총사령관을 겸한 총통이 됐어.

133

이로써 독일은 '제3제국' 시대를 맞이하게 되었다. 히틀러를 중심으로 나치 당이 모든 권력을 차지했기 때문에 '나치 독일' 시대라고도 한다.

이제 독일은 내 손 안에 있다!

제3제국? 그럼 제1제국, 제2제국도 있어요?

응. 962~1806년의 신성 로마 제국을 제1제국, 1871~1918년의 독일 제국을 제2제국 이라고 해.

이렇게 막강한 권력을 쥐게 된 히틀러는 가장 먼저 실업 문제를 해결하려 했다.

600만 명의 실업자가 가장 큰 문제야!

그리하여 대규모 공공 사업을 벌이고, 없앴던 군대와 군사 시설물을 다시 갖추는 사업을 시작했다.

나에겐 원대한 꿈이 있어. 흐흐흐!

그 다음, 공산당 세력을 힘으로 해산시켰어.

이럴 수가! 국민들도 완전히 히틀러의 편이 되었구나!

이참에 무능한 사회민주당도 뿌리째 뽑아 버렸지.

깨끗한 독일을 만들어야지!

오악~

이어서 신문과 방송을 철저히 감시하고 통제했다. 또 정치 단체인 정당을 새로 만들지 못하게 했으며 활동의 자유를 없애 버렸다.

모든 학교의 교육 내용은 나치 정신을 알리는 것으로 할 것!

이로써 독일 사람들의 눈과 귀가 다 가려지게 된 거야.

나만 따라 오면 돼.

그리고 히틀러는 자신에게 반대하는 자가 있으면 무조건 없애 버렸지.

끔찍해!

감히 내게 반대를 해! 당장 없애 버려!

근데 어째서 이렇게 쉽게 히틀러의 세상이 되었을까?

히틀러가 무서워서?

히틀러는 독재 정치를 펼쳤지만 독일의 경제를 일으킨 사람이기도 해.

국민 모두가 탈 수 있는 폭스바겐을 만들어 보시오!

하일, 히틀러!

폭스바겐은 '국민 차' 라는 뜻이지.

사랑하는 독일 국민들을 위해 만들었소!

와아, 히틀러 짱!

딱정벌레 같이 생긴 게 정말 예쁘다!

히틀러가 펼친 여러 정책으로 인해 실업자 수가 놀랄 만큼 줄어들었고, 많은 도로가 만들어졌으며, 많은 토지가 쓸모 있게 바뀌었다.

히틀러가 만든 아우토반

이런 히틀러의 정책은 전쟁 이후 혼란스러웠던 독일 사회에서 크게 환영받을 수밖에 없었다.

히틀러는 위대한 인물이야! 우리 모두 그를 따라야 해!

한편 히틀러는 게슈타포와 친위대 등을 만들어 힘을 더욱 키웠어.

'게슈타포'는 비밀 국가 경찰이고, '친위대'는 히틀러를 경호하는 부대야. 'SS'라고도 하지.

요제프, 혹시 네가 친위대였던 거야?

그건 아니지만….

다음은 내가 설명해 줄게.

스윽

이렇게 해서 독일은 제1차 세계 대전의 후유증에서 어느 정도 벗어나게 됐어.

이제 좀 살 만해졌어!

근데 뭔가 불안해.

히틀러가 곧 제국주의 시절로 다시 돌아가려는 계획을 세우기 시작한 거야.

탁

이 땅은 한때 우리 독일이 지배한 곳이었는데 말이야….

* 아우토반 : 독일의 자동차 전용 고속도로. 일부 구간에 속도 제한이 없는 것으로 유명함

이제는 옆 동네 프랑스 눈치나 보는 나라가 되다니, 이건 말도 안 돼!

쟤가 변한 게 분명해!

나라가 안정되면서 자신감이 생긴 히틀러는 제네바 군축 회의 논의에 불만을 품고 1933년, 국제 연맹을 탈퇴했다.

이제 우리도 힘이 있다, 이거야!

이럴 수가!

제네바 군축 회의

스위스 제네바에서 국제 연맹 주최로 1932년 2월부터 열린 군비 축소를 위한 회의이다. 여기에는 연맹 가맹국 외에 미국·소련이 참석했다. 군비 평등을 요구하는 독일과 안전 보장을 주장하는 프랑스의 대립으로 회의가 진전이 없자 1933년 3월 일본이 국제 연맹을 탈퇴하고, 같은 해 10월에 나치 독일도 국제 연맹을 탈퇴했다. 제네바 군축 회의는 결국 아무런 성과도 얻지 못하고 1934년 5월에 막을 내렸고, 이후 열강의 군비 확장 경쟁과 침략으로 제2차 세계 대전이 일어나게 되었다.

이어서 히틀러는 1936년, 로카르노 조약과 베르사유 조약을 깼어.

배상금을 갚지 않고, 군사 비용을 늘리려는 속셈이었지.

드디어 본색을 드러내는구나.

이후 히틀러는 산업에 힘쓰며 전쟁에 필요한 물건들을 준비해 나갔어.

우리 위대한 독일을 망가뜨린 너희 연합국들…. 반드시 복수할 거야!

복수할 거야!

프랑스는 이러한 히틀러의 움직임을 불안하게 여겼어.

앗, 뭔가 불안해.

이 무렵 미국은 여전히 대공황으로 인한 경제난에 허덕이고 있었어.

대공황

유럽을 신경 쓸 때가 아니야!

다른 유럽 나라들도 각자의 사정이 있어서 독일을 견제하기 어려웠지.

우리 러시아는 혁명 때문에 바빠.

오스트리아는 전쟁으로 경제가 어려워져서…

우리 영국은 인도 문제로 힘들어서…

독일은 다른 나라의 견제에서 벗어나 스스로 힘을 키운 다음 어떻게 했을까?

호, 혹시 전쟁?

설마 또 전쟁을…?

그보다 제1차 세계 대전 때처럼 동맹국을 만들지 않았을까요?

메롱~

역시 아미가 제대로 맞혔어.

마침 독일과 마음이 잘 맞는 나라가 아시아와 유럽에 있었어. 바로 일본과 이탈리아야.

우리 이웃 나라 일본!

이탈리아도?

당시 이탈리아는 무솔리니가 다스리고 있었다.

와

와아

무솔리니 (1883~1945)
파시스트 지도자로 이탈리아를 세계 대전에 끌어들였다. 히틀러와는 동지이자 라이벌이었으며, 연설과 선동에 능숙했다.

파시스트는 극단적 민족주의 사상인 파시즘을 믿는 사람들이야.

파시즘은 자기 민족이 다른 민족보다 우월하다고 주장하는 사상이지.

파시스트는 민주주의에 반대하며, 강력한 정부의 힘에 의한 통치를 정당하게 생각한다.

오로지 복종뿐!

무솔리니 만세!

히틀러도 무솔리니와 마찬가지로 이러한 생각을 가지고 있었다. 이를 '나치즘'이라고 한다.

나를 따르라!

하일, 히틀러!

그래서 둘은 생각이 잘 통했어.

서로의 속셈을 잘 알게 된 거야.

잘해 봅시다.

그럽시다.

이탈리아는 이미 1935년에 아프리카의 에티오피아를 침략했어. 벌써 야욕을 드러낸 셈이지.

무솔리니도 히틀러만큼 나쁘네!

＊야욕 : 자기 이익만 채우려는 더러운 욕심

끼리끼리 잘 논다.

그런데 이탈리아 사람들은 왜 파시즘을 지지한 거야?

이 역시 제1차 세계 대전 때문이야.

제1차 세계 대전이 정말 많은 문제를 일으켰구나.

이탈리아는 제1차 세계 대전에서 승리했지만, 전쟁이 끝나고 나서의 상황은 독일과 크게 다르지 않았어.

이탈리아는 식민지도 없고 자원도 부족했기 때문에 전쟁의 후유증을 이겨내기 어려웠다.

앞으로 어떻게 살아가야 할지…

그래서 독일의 히틀러가 그랬던 것처럼 독재 정부의 힘으로 강력한 정책을 펼쳐 경제난을 이겨내고자 했다.

우리 이탈리아에게 필요한 건 말만 번드르르한 민주주의나 달콤한 사탕 발림이 아니다!

오직 강력한 힘만이 우리 이탈리아를 다시 살릴 수 있다!

이탈리아를 다스리게 된 무솔리니는 다음 단계로 식민지를 정복하려 했지만 혼자 나서기는 어려웠어.

어디 같이 해 볼 만한 나라가 없을까? 영국 재네는 이미 식민지가 너무 많고.

무솔리니여, 그렇게 멀리서 찾을 필요 없소. 내가 있잖소!

오호!

짜안

이렇게 독일이 함께하자고 먼저 제안해 오니 반가울 수밖에!

우리끼리만 잘살면 되지!

드디어 식민지를 차지할 수 있게 되었군!

그런데 독일과 이탈리아가 뜻을 맞추기 전에 이미 독일은 일본과 방공 협정을 맺고 있었지.

일본이 이미 우리와 뜻을 같이 했소.

그거 나쁠 것 없지요.

마침내 1937년에 이탈리아가 방공 협정에 가담해 독일, 일본, 이탈리아가 손을 잡았다.

우리 다같이 잘 해 봅시다! 파이팅!

서로서로 도와 나쁜 일을 하다니 정말 한심해!

내 말이! 남의 나라를 빼앗는 데 힘을 모으다니.

잘 알다시피 이 시기는 자기의 이익을 위해서는 어제의 적과도 망설임 없이 손잡던 때였어.

말도 안 돼.

정말 무서운 시대야!

---

* 방공 협정 : 1936년에 공산주의 세력의 침입을 막기 위해 일본과 독일이 맺은 협정. 이듬해 이탈리아, 에스파냐, 헝가리가 가담했는데, 이는 공산주의자들의 국제 조직인 제3인터내셔널에 맞서기 위한 것이었음

당시 중국 만주와 우리나라를 점령하고 있던 일본은 더 큰 야망이 있었어.

아시아 전체를 우리 대일본 제국의 땅으로 삼아야 해!

그래서 전 세계가 두려워하는 최강 제국으로 거듭나는 거야!

당시 일본 왕이었던 히로히토는 동아시아와 태평양을 잇는 '대동아 공영권'을 이룰 꿈을 꾸고 있었지.

대동아 공영권

대동아란 동아시아에 동남아시아를 더한 지역을 가리키는 말로, 대동아 공영권은 일본을 중심으로 함께 번영할 동아시아 여러 민족과 그들이 사는 범위를 말한다. 이것은 사실 일본이 아시아에 대한 침략을 합리화하려고 내세운 정치적 표어였다.

러시아
몽골
중국
한국
일본
대만
태국
베트남
필리핀
캄보디아
말레이시아
파푸아뉴기니
인도네시아

태평양 전쟁 당시 일본의 최대 권역도

그러기 위해서는 아시아에 세력을 뻗치고 있던 유럽 나라들이나 미국의 시선을 돌릴 필요가 있었다.

이 녀석들 눈을 돌려야 하는데….

이때 독일과 이탈리아가 손을 잡고 유럽에서 한 판 벌이려고 하니 일본은 기회다 싶었던 거지!

준비,

바로 저거야!

완료!

독일 역시 일본과 동맹을 맺으면 다른 연합국들의 관심을 돌릴 수 있기 때문에 서로 이득이었다.

야! 나도 관심 있는데!

대환영이지!

이렇게 세 나라는 서로의 뜻을 확인하고 각자 욕심을 채웠어.

우리 일본은 1937년에 중일 전쟁을 일으켰지!

우린 1938년, 오스트리아를 합병했어!

우린 벌써 에티오피아를 꿀꺽했는걸!

독일은 껄끄러운 상대인 소련과도 1939년, 상호 불가침 조약을 맺었다.

잘 지냅시다!

일단 소련을 막았으니 준비는 끝났어. 후훗!

그럽시다.

미친개한테는 물리지 말아야 해.

이렇게 해서 유럽은 또 한 번의 세계 대전이라는 큰 시련 앞에 놓이게 돼.

결국 사고 칠 줄 알았어!

유럽에 이어 아시아에도 일본의 욕심 때문에 전쟁의 기운이 드리워졌지.

우리나라를 멋대로 침략했을 때부터 이럴 줄 알았다니까!

이게 다 땅을 넓히고자 했던 지배층의 욕심 때문이었지.

어쨌든 일본도 왕과 군부를 중심으로 본격적인 군국주의의 길을 걷게 됐어.

이 역시 무솔리니의 파시즘, 히틀러의 나치즘처럼 군대의 힘으로 통치하는 방식이야.

끼리끼리 모인다더니.

그런 걸 '유유상종' 이라고 하지.

* 상호 불가침 조약 : 서로 침범하지 않기로 약속한 조약
* 군부 : 군사에 관한 일을 총괄하여 맡아보는 군대의 우두머리. 또는 그것을 중심으로 한 세력

그래. 그래서 일본은 군사력 발전을 가장 먼저 해결해야 할 문제로 삼았어.

일본은 군사력을 키우기 위해 식민지 사람들을 힘으로 억눌렀다. 한국말 대신 일본말을 쓰게 했고, 이름도 일본식으로 바꾸게 했다.

한국인이 한국말을 쓰지 못하다니!

창씨개명 정책에 따라 이제부터 네 이름은 '나카무라'야!

또한 강제로 군사를 모으고 물자를 빼앗아 갔는데, 이 모든 것은 힘과 폭력을 정당하게 생각하는 군국주의에서 비롯된 것이었다.

이게 다가 아니야. 일본은 더 잔혹한 방법으로 식민지를 지배했어.

더 잔혹한 방법?

일본은 한국인과 중국인, 전쟁 포로를 대상으로 실험을 했어.

사람을 대상으로?

그 잔인한 실험은 '731부대'라는 특수 부대 안에서 이루어졌지.

731부대 이 부대에서 수많은 사람이 생체 실험으로 비참하고 고통스럽게 숨졌다. 일본인들은 실험 대상을 마루타(통나무라는 뜻의 일본어)로 불렀다. 중국의 헤이룽장 성 하얼빈에 있다.

* 창씨개명 : 일제 시대 때 일본식 이름으로 바꾸라고 강요한 일

생체 실험이란 산 사람을 상대로 마취제를 쓰지 않은 채 의학 실험을 하는 거야.

맙소사!

너무 잔인해요!

이루 말할 수 없을 정도로 참혹했지.

내 조국 독일 역시 다른 민족을 탄압하는 정책으로 악명이 높았어.

독일도?

어땠는데?

히틀러의 유대 인 대학살은 인류 역사상 다시는 있어선 안 될 끔찍한 사건이었어.

유대 인 대학살?

그, 그게 뭐야?

* 대학살 : 수많은 사람을 비롯한 생물을 가혹하게 마구 죽이는 일

말 그대로 유대 인을 모조리 다 없애 버리려는 정책이었지.

그게 말이 돼?

뭐, 뭐라고?

벌떡 떡

말이 안 되지만 히틀러는 실제로 행동에 옮겼어.

그는 인종 차별주의자였고, 아까 말했듯이 특히 유대 인을 사람 취급도 안 했거든.

나치에 의해 희생된 유대 인 수가 얼마나 되는 줄 아니?

절레 절레

아뇨!

무려 572만 명의 유대 인들이 처참하게 죽어 갔어.

헉!

유대 인을 많이 죽였다는 건 알고 있었지만 이 정도일 줄은 몰랐어요.

왜 유대 인을 그토록 미워한 걸까요? 그들이 잘못했다고

종교적인 문제였지.

성경에 의하면 이스가리옷 유다가 예수를 팔아넘긴 후, 로마 가톨릭이 유대 인을 예루살렘에 들어오지 못하게 하자 나라를 잃고 유럽 각지에 흩어져 살게 되었다.

흑흑~ 유다가 유대 인이었다는 이유만으로…. 너무해!

이후 오랜 세월, 유대 인은 끈질긴 생명력으로 여러 나라에서 법률, 의학, 금융 등의 분야로 나아가 성공했다.

우리는 머리가 좋고, 계산이 빨라 장사를 잘 하지!

146　＊이스가리옷 유다 : 예수의 열두 제자 중 한 사람. 예수를 제사장들에게 은화 30냥에 팔아넘겼으나, 예수가 사형을 선고받자 후회하여 자살함

하지만 유럽 인들은 유대 인들의 성공을 좋지 않게 여겼던 거야.

우리 유대 인이 그들보다 더 많은 재산을 갖게 되고, 사회적 위치도 높아져서 우리를 질투하는 거지.

특히 독일인이 가난에서 벗어나지 못할 때에도 독일에 사는 유대 인 중에는 잘사는 사람이 많았어.

안 그래도 가난한 마당에 자기들끼리만 잘사는 것처럼 보이는 유대 인이 얄미울 수밖에.

너희 고향으로 돌아가!

히틀러도 이런 불만에서 예외일 수 없었다.

왜 우리 게르만 민족이 누려야 할 풍요를 유대 인 놈들이 누리고 있단 말인가!

결정적으로 '고비노'라는 프랑스의 학자가 쓴 《인종불평등론》이란 책은 히틀러에게 큰 영향을 끼치게 되었다.

인종불평등론

고비노

맞아! 유대 인은 열등하고 비열한 민족이야!

크리스트교도의 생활과 문화를 더럽히는 기생충들은 모조리 없애야 해!

결국 정권을 잡은 히틀러는 유대 인에 대한 억압 정책을 실시했다.

유대 인이 가지고 있는 모든 재산을 압수한다!

147

이러한 정책은 유대 인보다 가난한 생활을 하던 독일인들에게 큰 환영을 받았어.

히틀러 만세!

알미운 유대 인 놈들, 쌤통이다!

여기서라도 멈췄으면 그나마 좋았을 텐데, 히틀러는 멈추지 않았지.

단순히 재산을 빼앗고 억압하는 것만 으로는 모자라!

세계에서 가장 우수한 게르만 인이 더러운 유대 인과 섞여 살면서 그 우수함을 잃어 가고 있다.

쓰레기 같은 유대 인을 이 세상에서 영원히 쓸어 버리는 것이 나의 소명이다!

나치 독일은 유대 인을 강제 수용소로 모조리 끌고 가 강제 노동을 시킨 다음 가스실로 데려 가 말살시켰다. 이러한 유대 인 말살 정책에 따른 대규모 학살을 '홀로코스트'라고 한다.

아우슈비츠 수용소
홀로코스트가 행해진 곳으로 폴란드에 있다. 폴란드 어로는 '오슈비엥침'이며, 현재 박물관으로 이용되고 있다.

사방이 철조망 으로 되어 있어!

유대 인을 화장한 소각로

이럴 수가!

148

정말
끔찍하지?

충격적
이에요!

어떻게 독일 사람들은
그런 말도 안 되는 생각에
따를 수가 있었죠?

맞아. 아무리 히틀러가
인기 있고 강력한 지도자
라고 해도!

그때는 살기가 너무 힘들어서 히틀러의
말대로만 하면 정말로 일등 국가, 일등
국민이 될 거라고 믿었거든.

그래도 말이
안 돼!

히틀러의 유대 인 대학살은
제2차 세계 대전과 떼어 놓고
생각할 수 없어.

히틀러가 이런 일을
벌인 것도 다 전쟁에서
이기기 위해서였어.

히틀러의 인종 차별 정책에 희생된
민족은 유대 인만이 아니었어. 슬라브
민족도 엄청난 피해를 입었지.

슬라브
민족까지?

히틀러는
정말 나빠!

으으~

요제프,
왜 그래?

아까 말했지. 나는 나치의 병사였다고.

근데 너같이 어린아이도 병사가 될 수 있어?

나는 히틀러 유겐트였어!

히틀러 유겐트?

히틀러 유겐트

제2차 세계 대전 당시 히틀러가 14~18세 청소년을 대상으로 만든 단체이다. 이들은 돌격대 SA의 일부로서, 시위·선동 활동을 하였으며 18세가 넘으면 나치당으로 보내졌다. 여자아이들은 히틀러 유겐트의 자매 조직이었던 독일 소녀 동맹에 가입하여 교육을 받았다.

유겐트는 유대 인이나 사회주의자를 찾아내 고발하기도 하고, 무기를 들고 전쟁에 나가기도 했어.

우린 전쟁의 무서움을 잘 몰랐어. 전쟁을 아무렇지 않게 여겼지.

그런데 실제로는 끔찍했어.

친구들이 하나씩 총에 맞아 쓰러져 갈 때마다 그 무서움은 이루 말할 수 없었지.

탕

쾅

으악~

탕

또 나는 유대 인을 몰래 일러바치거나 체포하는 게 조국 독일을 위한 일이라고 믿었어!

부들 부들

가장 고통스러운 건 내 손으로 유대 인을
가스실로 보낼 때였어! 그들 중에는
나랑 같이 뛰어놀던 친구도 있었지.

하인리히!

요제프!

그들은 모두 가스실에서 죽어 갔어.
나는 뒤늦게 내가 무슨 짓을 한 건지
깨달았지만 때는 이미 늦어 버렸지.

내 과거를 솔직하게
보여 줄게.

휘
릭

지잉

똑바로 못 걷나?
이 쓰레기들!

으악!

펙

저 사람은….

맞아. 저게 바로
내 모습이야.

너희들은 살 가치가
없어. 알겠나!

털썩

나 역시 히틀러와 다를 바가 없었던 거야! 흑흑!

내가 한 짓을 되돌리기에는 너무 늦어 버렸지만….

내 과거를 밝혀서라도 전쟁이 얼마나 위험하고 끔찍한 일인지 너희에게 꼭 알려 주고 싶었어!

요제프, 널 이해해.

요제프, 우린 너를 미워하지 않아.

너 역시 피해자잖아. 나라도 어쩔 수 없었을 거야.

자, 요제프 대신 내가 한 유대 인 소녀 얘기를 해 줄게. 너희《안네의 일기》알지?

그럼요!

아, 맞다! 안네도 유대 인이었죠!

안네는 1929년, 독일 프랑크푸르트에서 태어난 유대 인 소녀야.

응애 응애

나치가 유대 인을 괴롭히기 시작하자 1933년, 안네의 가족은 네덜란드 암스테르담으로 이사했다. 그러나 독일이 네덜란드를 지배하면서 유대 인을 더욱 심하게 탄압했다.

그러자 안네와 가족들은 아버지 오토 프랑크의 식료품 공장 창고와 뒷방 사무실에서 다른 유대 인 가족 4명과 숨어서 생활하게 되었다.

책장 뒤쪽에 방으로 드나들 수 있는 비밀 통로가 있었다.

안네는 은신처에서 생활하면서 일기를 썼는데, 그게 바로 그 유명한 《안네의 일기》야.

일기는 네덜란드 암스테르담의 은신처에서 살았던 1942년 6월부터 1944년 8월까지 쓰여졌다.

안네의 일기

안네가 2년 동안 숨어 지내면서 쓴 일기다. 사춘기 소녀의 심리적 성장 과정과 어른들 세계에 대한 비판, 힘든 상황에 처해서도 꺾이지 않는 꿋꿋한 용기를 꾸밈없고 품격 높은 문장으로 썼다. 결국 나치에 의해 독일의 한 강제 수용소에 끌려간 안네는 언니와 함께 장티푸스에 걸려 1945년 16살의 어린 나이로 일생을 끝마쳤다. 일기는 사망 후, 알고 지내던 네덜란드 인에게 발견되어 아버지 손에 들어가, 1947년에 네덜란드 어로 출판되었다.

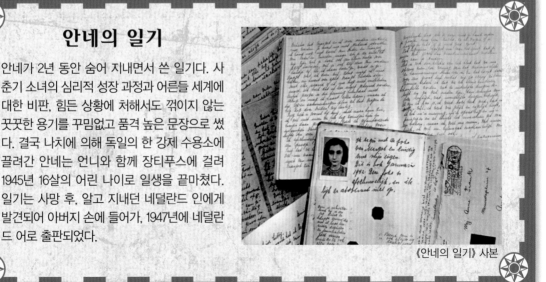

《안네의 일기》 사본

지금까지 여러 나라에서 번역되어 많은 사람이 이 책을 읽었고, 연극과 영화로도 만들어졌어.

저도 읽으면서 눈물이 났어요.

난 나쁜 어른들에게 화가 나더라!

저도 그 얘기는 나중에 알았죠. 정말 슬픈 일이에요.

너도 알고 있었구나.

이제 좀 괜찮아?

그런데 요제프! 몸이 왜 그래?

네 몸이 왜 이렇게 흐려진 거야?

이제 돌아갈 시간이 됐나 봐요. 임무가 끝나 가니 돌아오라는 일종의 신호죠.

저는 마르스 님의 전령이잖아요. 현실 세계에 오래 남아 있을 수 없어요.

이제 겨우 친구가 됐는데 돌아간다니….

안 돼! 요제프!

154

고마워. 하지만 이건 꼭 지켜야 하는 약속이야.

너희에게 전쟁의 무서움을 알게 해 준 것만으로도 임무를 다한 것 같아 기뻐.

하지만 우리는 여행을 아직 다 마치지 않았어.

우리가 반드시 보고 기억해야 할 역사의 페이지는 아직 남아 있다고.

아주 끔찍하고 참혹한 전쟁, 제2차 세계 대전이 남았어.

지금까지 보다도 더 끔찍한 전쟁…?

꼭 봐야 하는 거야?

약속했잖아. 도망치지 않고 역사를 제대로 알아보기로.

그래요! 가요! 약속이니까!

샤라라랑

그럼…

나도 하나도 안 무서워. 어서 가자!

둥 둥 둥 둥

나머지 여행을 계속할게!

155

제2차 세계 대전과 국제 연합

네 몸이 다시 돌아왔어!

정말!

너희가 흥미를 가지고 공부한다고 마르스 님께서 시간을 더 주셨어.

다행이다!

자, 이제부터는 정말 조심해야 해요. 저길 보세요!

1942년 소련 스탈린그라드

타앙

탕

퍼엉

두 두 두 두

허억! 전쟁터다!

무섭다.

애들아, 요제프랑 떨어지면 위험해.

으으~ 너무 추워.

여기는 또 어딘데 이렇게 추운 거야?

여긴 독일과 소련의 막바지 전쟁이 한창인 소련의 스탈린그라드야.

소련? 다시 러시아로 온 거구나.

휘릭

아참, 다시 옷을 바꿔야지.

짜 잔

피융

일단 안전한 곳으로 피하자.

피융

언제까지 저렇게 싸울 셈인지….

너무 끔찍해!

제2차 세계 대전 당시 파괴된 건물들(소련)

앞에서 얘기했듯이 전쟁 준비를 끝낸 독일은 가장 먼저 폴란드를 공격했어.

항복!

1939년 9월 1일 독일은 폴란드를 갑자기 쳐들어가 점령했다.

소련과 서로 침범하지 않기로 약속한 독일은 두려울 것이 없었다. 곧 유럽 여러 나라를 차례로 침략해 나갔다.

네덜란드

독일

폴란드

프랑스

그러자 제1차 세계 대전의 승전국인 영국과 프랑스가 가만히 있을 리 없었다.

독일 저 녀석, 얌전히 지내라고 했더니!

이참에 콱 밟아 버립시다!

9월 3일, 마침내 영국과 프랑스가 독일에 선전 포고를 함으로써 제2차 세계 대전의 막이 올랐다.

가만 안 두겠어!

영국

프랑스

독일

영국과 프랑스가 나섰지만 미리 전쟁을 준비해 온 독일은 계속해서 이겼어.

별것도 아닌 것들이!

전쟁 시작 불과 반년 만에 독일은 덴마크, 노르웨이, 프랑스, 네덜란드, 벨기에, 룩셈부르크를 차지했다.

모두 우리 땅!

함께 싸웠던 프랑스가 힘없이 무너지자 영국은 더욱 죽기 살기로 싸웠지.

그래, 누가 이기나 한번 해 보자고!

영국과의 전투가 지루하게 계속되자, 히틀러는 다른 생각을 품었어.

여기 서부 전선을 잘 지키고 있게.

하일, 히틀러!

소련이 동유럽을 다 차지하기 전에 서두르자!

이 당시 소련은 핀란드와 전쟁을 벌이고 있었어.

저 녀석과 한 약속을 지킬 필요가 뭐 있어!

날 도우러 온 건가?

천만에! 너희를 점령해서 어마어마한 자원과 땅덩어리를 손에 넣으러 왔지!

약속을 헌신짝처럼 버리는구나!

그러니까 악당이지.

사실 히틀러는 동방 제국을 세울 꿈을 가지고 있었어.

맞아요.

게르만 민족이 지배하는 동방의 넓은 제국을 만드는 것이 히틀러의 진짜 야심이었다. 그래서 여러 곳에서 승리해 자신감을 얻은 독일은 1941년 6월 소련을 공격했다.

하하하! 전 세계를 내 손안에 넣고 말겠어!

저런 망나니 같은!

이에 분노한 소련은 영국, 프랑스와 동맹을 맺고 독일에 맞섰지. 본격적인 제2차 세계 대전이 시작된 거야.

저 망나니를 혼내 줍시다!

하지만 독일군은 동부 전선에서 무서운 기세로 여러 도시를 점령하며 나아갔다.

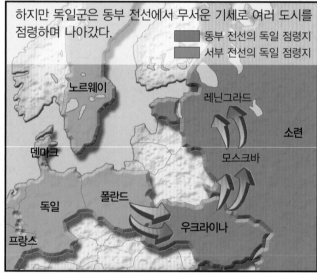

동부 전선의 독일 점령지
서부 전선의 독일 점령지

노르웨이
레닌그라드
소련
덴마크
모스크바
독일
폴란드
프랑스
우크라이나

한편 이탈리아는 독일과 힘을 합쳐, 영국이 지배하고 있던 북부 아프리카를 공격해 전쟁을 벌이고 있었다.

타앙 탕

유럽, 소련, 아프리카까지…. 정말 곳곳에서 전쟁이 벌어졌구나.

전선은 더 넓어졌어. 바로 일본 때문이지.

일본이 미국을 공격했거든.

＊ 전선 : 전쟁에서 직접 전투가 벌어지는 지역이나 그런 지역을 가상적으로 연결한 선

원래 미국은 독일에 밀리는 연합국에게 전쟁 물자를 지원하긴 했지만 직접 전쟁에 참여 하지는 않았어.

또 미국은 전쟁에 필요한 물자들이 일본으로 들어가지 못하게 방해했지.

일본이 화가 났겠네요?

때마침 소련은 모스크바 근처까지 진격한 독일을 맞아 필사적인 저항을 이어가고 있었어.

탕 탕

그리고 유럽 전체가 전쟁에 휩싸이자 일본은 때를 놓치지 않았다.

그래, 바로 지금이다!

일본은 동남아시아에서의 기나긴 전투로 물자 보급 이 절실히 필요했지만 미국의 방해가 심하자 남태평 양과 오세아니아 지역을 차지하기로 했다.

저들이 정신없이 싸울 때 이곳들을 손에 넣어야 한다!

하지만 남태평양 지역을 공격하면 미국이 가만 있지 않을 텐데요?

그러니까 미국을 먼저 쳐야지.

드디어 일본이 잠자던 사자 미국을 건드린 거구나?

바로 그거야. 미르 제법인데?

그러게.

미국까지 전쟁에 참가했으면 거의 전 세계가 전쟁을 벌인 거네?

응. 그렇다고 볼 수 있지.

이 지도를 봐. 제2차 세계 대전에 참가한 나라들이야. 추축국은 동맹국을 지지한 여러 나라를 말해.

제2차 세계 대전에 참가한 나라들

캐나다
미국
멕시코
코스타리카
파나마
페루
볼리비아
칠레
베네수엘라
콜롬비아
브라질
아르헨티나
아일랜드
리비아
이집트
남아프리카 연방
핀란드와 전쟁
폴란드와 전쟁
독일과 전쟁
소련
이란
아프가니스탄
사우디아라비아
영국령 인도
네덜란드령 인도네시아
몽골
중국
일본과 전쟁
일본
오스트레일리아

추축국과 그들의 영향을 받은 나라
추축국에 종속되거나 점령된 지역
추축국에 대항한 연합국과 동맹 지역
전쟁 기간 동안 중립 상태였던 지역
프랑스령 아프리카

연합국과 그 동맹국의 참전 시점 ■ 1939, 1940년 참전 ■ 1941, 1942년 참전 ■ 1943년 참전 ■ 1944, 1945년 참전

그나저나 일본이 미국을 치니까 미국은 어떻게 나왔어?

궁금해?

응! 알려 줘!

그럼 지금부터 태평양 전쟁이 일어나게 된 배경부터 설명해 줄 테니까 잘 들어 봐.

네!

태평양 전쟁은 제2차 세계 대전의 일부로, 1941~1945년까지 일본과 연합국 사이에 벌어진 전쟁이다. 동남아시아에 이어 남태평양에 힘을 뻗치려던 일본은 1941년 12월 7일, 미군이 머무르던 하와이의 진주만을 선전 포고도 없이 공격했다. 일본은 미군의 항공모함을 파괴해 미군의 발을 묶어 둘 속셈이었다.

이 사건을 '진주만 공습'이라고 해.

아무리 전쟁이지만 너무 비겁해!

맞아! 선전 포고는 했어야지!

진주만 공습은 제2차 세계 대전 참가를 망설이던 미국의 태도를 바꿔 놓았지. 마침내 태평양 전쟁이 시작된 거야.

이런 비열한 놈들! 가만둘 수 없다!

진주만 공습

1941년 12월 7일 아침, 일본 제국 해군 비행기들이 미국 하와이 주의 오아후 섬 진주만에 있는 미국 해군·육군 기지에 가한 기습 공격이다.

이 공격으로 수많은 미 해군 함선과 비행기가 손상을 입었으며 2,403명의 군인이 죽거나 다치고 68명의 일반인이 죽었다. 진주만 공습은 태평양 전쟁의 출발점이 됐고, 훗날 일본 제국의 패망으로 이어졌다.

진주만 전쟁 기념 박물관

일본의 진주만 공습에 화가 난 미국 청년들은 앞다투어 스스로 군대에 들어갔어.

일본을 용서 할 수 없어!

그리고 미국 의회는 전쟁에 참가하기로 마음먹은 동시에 몇 년치 국가 예산에 해당하는 돈을 전쟁 자금으로 준비했다.

나 진짜로 화났다!

향
쿡

세계 최강국인 미국이 전쟁에 합류하면서 순식간에 연합국 측이 유리해졌다.

우르르

우아, 엄청 크다!

전쟁이 더 치열해졌겠네요?

저 시대에 태어나지 않은 게 정말 다행이야.

태평양 전쟁 초기에는 일본이 계속해서 승리했어.

쿡

윽!

하지만 풍부한 물자를 가진 미국이 서서히 반격을 시작했지.

공격 다했어? 슬슬 시작해 볼까?

헉!

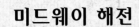

미드웨이 해전

1942년 6월, 미국과 일본 사이에 벌어진 태평양 전쟁 가운데 하나로 주로 항공기로 싸운 해전이다. 이 전투로 미국은 일본의 가장 중요한 항공모함 전투력과 실력 있는 해군 조종사 대부분을 무찔렀으며, 태평양에서 일본이 더는 침략할 수 없도록 했다. 미드웨이 해전은 태평양에서 일본과 미국의 판도를 바꿔 놓은 결정적인 계기가 되었다.

미국이 승리하면서 연합국이 유리해진 결정적인 사건은 바로 '미드웨이 해전'이야.

잇따른 패배에 일본은 '가미카제'라는 작전을 펼쳤어. 작은 비행기에 폭탄을 가득 싣고 미군의 군함으로 돌진해 자폭하는 작전이야.

퍼엉

헉! 자살 폭탄 공격이다!

군인들이 불쌍해.

안타까운 사실은 우리 나라 청년들도 이 작전에 동원됐다는 거야.

뿐만 아니라 태평양 전쟁에 수많은 조선 청년이 끌려가 목숨을 잃었어.

용서가 안 돼!

으! 너무 분하다!

일본의 잔인함도 독일 못지 않았지.

한편, 미국을 포함한 연합국이 있는 힘을 다해 잘 싸우자 추축국들이 궁지에 몰리게 됐어.

165

독일 역시 소련의 저항과 혹독한 추위로 모스크바 공격에 실패하고 1942년 여름에 남쪽에 있는 스탈린그라드를 공격했다. 하지만 그해 겨울 결국 실패하고 후퇴하고 말았다.

추워서 동상 걸렸어!

나폴레옹도 견디지 못한 추위다, 이 녀석들아!

그 당시 영국 역시 처칠 총리의 지휘 아래 똘똘 뭉쳐 독일의 침입을 막아 냈지.

흥! 얼마든지 와 보라고!

코를 납작하게 해 줄 테니까!

윈스턴 처칠(1874~1965년)
제2차 세계 대전 당시 영국의 총리로, 히틀러를 상대로 싸워 영국을 승리로 이끌었다.

독일에 점령된 프랑스에도 레지스탕스의 저항이 이어지고 있었어.

프랑스는 결코 항복하지 않는다!

타앙

이러한 상황이 계속되자 독일은 점점 지쳐갔어.

타앙

탕

끈질기게 싸우고는 있지만 이미 전세는 불리하게 돌아가고 있었지.

탕 타앙

166   *레지스탕스 : 권력이나 침략자에 대한 저항이나 저항 운동. 특히 제2차 세계 대전 중 프랑스에서 있었던 지하 저항 운동을 말하며, 본문에서는 저항 운동을 하는 사람으로 쓰임

나치 독일이 곧 나가 떨어지겠는데!

그렇긴 하지만…

아무리 못된 나치라도 저렇게 죽는 걸 보니 슬프다.

그래서 전쟁이 비참한 거지.

저 군인들이 무슨 잘못이 있겠니? 전쟁을 일으킨 지도자들의 잘못이지.

맞아요!

한편, 이탈리아는 1943년에 잇따른 패배로 무솔리니가 쫓겨나면서 일찌감치 연합국에 항복했다.

난 열심히 했는데…

다 당신 책임이야!

힘을 모아 싸우던 이탈리아까지 무너지자 소련에 진 독일은 북아프리카 전선과 서부 전선에서 연합국에 맞서 혼자 끈질긴 저항을 펼칠 수밖에 없었다.

쿠르르릉

하지만 막강한 연합국을 혼자서 상대하기는 쉽지 않았지.

너흰 지금 안 싸우고 뭐 해!

우린 이제 힘이 없어.

우르르

승리에 한발 다가선 연합국은 드디어 결전을 치르게 되었다. 바로 '노르망디 상륙 작전'이다.

노르망디 상륙 작전

제2차 세계 대전 중인 1944년 6월 6일에 시작한 연합군의 북유럽 상륙 작전이다. 미국의 아이젠하워 장군이 지휘한 연합군은 노르망디 해안에서 이 작전을 펼쳐 성공을 거두었다. 이 작전으로 전쟁 초기 서부 전선에서 지고 유럽 대륙에서 후퇴한 연합군이 독일을 공격하기 위한 발판을 마련하게 되었다.

상륙 직전의 해병대원들

해병대원들을 격려하고 있는 아이젠하워 장군

연합군의 상륙 작전 성공으로 궁지에 몰린 히틀러는 마지막 대반격을 준비했어.

끈질기다!

바로 서부 전선인 벨기에의 아르덴에서 벌어진 '벌지 전투'야.

우리에게는 아직 힘이 있어!

1944년, 겨울에 벌어진 이 전투는 독일이 전력을 총동원해 마지막으로 벌인 전투이다. 이 전투마저 실패로 돌아가자 히틀러는 자신의 최후를 직감했다.

깡깡

아무리 애써 봐야 소용없어!

결정적으로 독일은 1945년 4월, 소련과 베를린 공방전을 펼치다 끝내 베를린을 내주게 되었다.

베를린 곳곳에 소련 국기를 달고 있는 소련 군인들

결국 히틀러는 1945년 4월 30일, 베를린의 지하 벙커에서 자살을 하고 말았지.

이어서 나치의 고급 장교들도 자살로 삶을 마감했어.

무시무시한 악당의 최후로는 초라하면서도 비참하네요.

벌을 받은 거지.

1945년 5월, 드디어 독일이 연합국에 항복을 선언했다.

드디어 악의 축이 무너지는 구나!

근데, 일본은 어떻게 됐어? 항복했어?

아니! 오히려 일본은 마지막까지 맞서 싸우기로 했어.

독하다!

그러던 일본은 결국 처참한 최후를 맞게 돼. 자, 이걸 봐.

맞아. 이 사건이 있었지!

1945년 8월 6일 일본 히로시마

이곳은 일본의 히로시마야.

저건 미군 전투기지?

이제부터 잘 봐.

히로시마 원자 폭탄 폭발 장면

뭐, 뭐죠? 도시가 통째로 날아가겠어!

원자 폭탄이 터진 거야.

일본이 끝내 항복하지 않자, 전쟁을 빨리 끝내려던 미국은 원자 폭탄을 떨어뜨리기로 한 거야.

그래도 저렇게까지….

미국은 히로시마에 원자 폭탄을 떨어뜨리고, 3일 뒤 나가사키에 원자 폭탄을 또 떨어뜨렸어.

1945년 8월 9일, 나가사키

1945년 8월 6일, 히로시마

* 원자 폭탄 : 원자핵이 폭발할 때 나오는 에너지를 이용한 폭탄. 에너지가 무척 크기 때문에 파괴되는 면적이 크고, 화재와 화상, 방사선에 의한 장애가 발생함

이로써 약 14만 명이 다치거나 죽었고, 살아남은 사람들은 핵이 폭발할 때 생겨난 방사능에 오염돼 큰 고통 속에서 살아야 했지.

정말 무서운 거구나!

결국 일본은 원자 폭탄의 힘 앞에 무릎 꿇고 1945년 8월 15일, 조건 없는 항복을 하고 말았다.

무조건 항복합니다!

일본의 항복을 끝으로 6년에 걸친 제2차 세계 대전은 막을 내렸고, 우리나라는 해방을 맞이했지.

아, 그래서 광복절이 8월 15일 이구나.

더 빨리 해방됐어야 해.

이 전쟁으로 일반인과 군인을 포함해 약 5,000만 명의 희생자가 생겨났어.

그렇게나 많이!

우리나라 인구가 통째로 사라진 거나 다름없는 숫자잖아!

나는 지금까지 전쟁 게임을 정말 좋아했는데….

아이들의 충격이 너무 심한 것 같으니 장소를 옮기자.

네….

이제 전쟁이 끝난 후 세계가 어떻게 달라졌는지 보여 줄 차례야. 가자!

우아~
저 높은 빌딩들
좀 봐!

여긴 전쟁의
흔적이 없어!

요제프, 여기는
어디지?

미국 뉴욕에 있는 국제 연합 본부

여기는 오늘날의
미국 뉴욕이고,
저 건물은 국제
연합 본부야.

그러고 보니
책에서 본 것
같아.

국제 연합(United Nations)
1945년 10월 24일, 전쟁 방지와 평화 유지를 위해 세워진 국제 기구
이다. 주로 하는 일은 크게 평화 유지 활동·군비 축소 활동·국제 협
력 활동으로 나뉜다. 필요할 경우 군사적 제한 조치와 경제적 제한
조치를 가할 수 있다.

응?

저것 봐, 되게 큰 총이다.

어, 근데 총이 좀 이상하게 생겼네.

총구가 묶여 있는 이 조형물은 전쟁을 막자는 의미로 만든 거야.

국제 연합, 즉 유엔은 제2차 세계 대전이 끝난 후에 만들어진 평화 유지 기구지. 우리나라를 비롯해 약 192개의 회원국이 있어.

2007년, 우리나라 반기문 총장이 제8대 유엔 총장으로 뽑혔어.

아, 맞아요!

제가 존경하는 분이에요.

반기문 유엔 총장(왼쪽)과 고르바초프 전 소련 대통령

제1차 세계 대전 후에도 이와 비슷한 기구가 만들어 졌던 거 기억나?

국제 연맹!

173

국제 연맹은 유엔의 선배라고 할 수 있어.

국제 연맹은 제1차 세계 대전에서 이긴 연합국을 중심으로 국제 평화와 안전 유지, 경제·사회적 협력을 목적으로 1920년에 세워졌다. 제2차 세계 대전으로 힘이 약해졌다가 1946년에 국제 연합으로 다시 태어났다.

스위스 제네바에 있는 국제 연합 유럽 본부

하지만 국제 연맹은 여러 가지 문제가 있어서 제 구실을 못했지. 그래서 유엔을 만든 거야.

누가 방해했나?

그건 아니고, 국제 연맹을 이끈 미국이 연맹에 가입하지 않았고, 소련 역시 참여하지 않았거든.

국제 연맹에 가입해도 미국에 별 이득이 없다며 의회에서 반대가 심해서….

게다가 국제 연맹은 유엔처럼 힘으로 통제할 수 없었기 때문에 제 역할을 제대로 할 수가 없었어.

군사력을 동원할 수 없었다는 거지.

앞에서 봤듯이 제국주의 나라들 때문에 제2차 세계 대전이 일어났잖아.

우리가 다른 나라를 공격하는데 국제 연맹에서는 아무 말도 안 하네!

만약 국제 연맹에서 군사력을 이용해 제국주의 나라들의 침략을 미리 막았더라면….

제2차 세계 대전이 일어나지 않았을 수도 있었다는 말씀이죠?

그렇지. 그래서 제2차 세계 대전 후에 여러 나라가 다시는 전쟁이 일어나지 않도록 평화를 위해 힘쓰기로 했어.

유엔에는 전쟁 후 강대국으로 떠오른 미국과 소련은 물론 영국, 중국이 참여했지.

미국

우리가 나서서 중심을 잡으면 될 거야!

중국

영국

강대국이 함께하니 국제 연맹보다 권위가 높아졌어.

유엔이 만들어진 또 다른 배경은 바로 '대서양 헌장'이야.

'대서양 헌장'은 1941년, 영국의 윈스턴 처칠과 미국의 루스벨트가 대서양 회담에서 전후 세계 질서와 평화를 위한 8개 항목을 발표한 것이다. 땅을 넓히지 않고, 다른 나라를 침략하지 못하게 한다는 내용의 이 헌장은 국제 연합의 원칙이 되었다.

루스벨트(맨 앞 왼쪽)와 윈스턴 처칠(맨 앞 오른쪽)

한마디로 세계 각국이 질서를 지켜 평화롭고 평등하게 잘살 수 있도록 만들자는 내용이야.

질 서

평 화

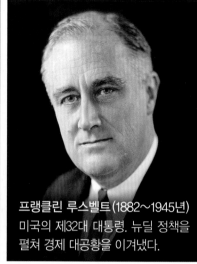

프랭클린 루스벨트(1882~1945년)
미국의 제32대 대통령. 뉴딜 정책을 펼쳐 경제 대공황을 이겨냈다.

우리가 만들었지만 내용이 정말 좋아!

그러면 이 내용을 바탕으로 유엔을 만듭시다!

좋소!

나도 찬성!

이렇게 유엔이 만들어지기까지 여러 나라의 노력이 필요했지.

일이 쉽게 풀리네요.

물론 처음부터 쉽진 않았어. 각 나라마다 원하는 바가 달랐기 때문이지.

하긴…. 학급 회의를 해도 여러 의견이 나오니까.

서로의 입장 차이 때문에 나중에 강대국들 사이에 문제가 발생하기도 했어.

어쨌든 유엔을 만들기에 앞서 전후 문제를 해결하기 위해 강대국 지도자들이 여러 차례 회담을 가졌는데, 이를 '거두 회담'이라고 해.

최초의 거두 회담은 1943년 11월, 이란의 수도 테헤란에서 열린 '테헤란 회담'이었다. 이 회담에는 미국의 루스벨트, 영국의 처칠, 소련의 스탈린이 참여했으며 세 나라의 공동 작전에 관한 선언을 발표했다.

이후에 열린 얄타 회담과 포츠담 회담은 아주 중요한 거두 회담이야.

자세한 설명은 내가 해 줄게.

얄타 회담은 1945년 2월, 소련 흑해 연안에 있는 얄타에서 열린 회담이야.

왼쪽부터 처칠, 루스벨트, 스탈린

이 회담에서는 전쟁이 끝난 후 독일의 관리에 대해 의견을 나누었다.

미국, 소련, 프랑스, 영국 이렇게 네 나라가 독일을 관리하는 것이 좋겠군요.

연합국은 독일에 대해 최소한의 생활을 보장해 주는 것 외에는 일체의 의무를 지지 않기로 약속했다.

전쟁을 벌인 죗값이니 그들이 받아들여야지!

그럼 모두 찬성하는 걸로 합시다!

또한 독일의 군수 산업 시설을 없애거나 빼앗는다고 선언했어.

이건 모두 압수야!

어, 어!

*군수 산업 : 군대에서 쓰는 무기와 그밖의 장비를 생산하는 산업

그럼 우리 독일은 어떻게 지키라고?

너희는 힘이 생기면 바로 싸움을 일으켜서 더는 안 돼!

전쟁 후 배상금에 대한 문제는 따로 위원회를 만들어 처리하기로 했지.

배상금 문제는 더 생각해서 해결 했으면 좋겠소.

또 주요 전쟁 범죄자들을 재판하자고 제안했어.

죄를 지었으니 벌을 받는 게 당연해!

근데 중요한 문제들은 언제나 강대국들끼리만 나서서 해결하네?

그러고 보니 그러네.

그건 어쩔 수 없지 않을까? 국제 사회에서 제 목소리를 내려면 힘이 있어야 하거든.

흠, 그래도….

예를 들어 우리 반 아이들이 교실에서 심하게 떠든다고 생각해 보자.

우당탕탕

여기서 나와 너희 중 누가 조용히 하라고 해야 아이들이 조용히 할까?

그건 당연히,

선생님이죠.

그런 것처럼 강대국들의 영향력이 클 수밖에 없는 거야.

그럼 힘이 약한 나라의 의견은 항상 무시당하는 건가?

약한 나라의 의견이 잘 반영되지 않는 단점이 있긴 해.

우리의 의견도 들어달라!

맘대로 우리 운명을 결정해선 안 돼!

하지만 당시로서는 힘들었지. 강대국들이라도 힘을 모아 한마음으로 정의와 평화를 이루기를 바랄 수밖에.

어쨌든 거두 회담은 필요한 것이었어.

자, 다음은 포츠담 회담에 대해서 얘기해 줄게.

언뜻 들으면 스포츠 회담 같다!

썰렁해!

포츠담 회담은 1945년 7~8월에 미국, 영국, 소련, 중국의 지도자들이 독일의 포츠담에서 가진 거두 회담이다.

포츠담

이번 회담에는 중국의 총통인 나, 장 제스도 참가했다고!

이 회담에서는 일본에게 항복을 권하고 전쟁 후, 일본에 대한 처리 문제를 논의했다.

회담의 합의 내용을 '포츠담 선언'으로 발표합니다!

특히 이 선언문에서는 1943년 11월에 선언된 '카이로 선언'을 실천할 것을 밝혔어.

카이로 선언에서 우리나라의 독립 문제가 처음으로 등장했지.

정말 중요한 선언이네요!

카이로 선언

제2차 세계 대전 말기인 1943년 11월 27일, 이집트에서 열린 1차 카이로 회담에서 연합국의 루스벨트·처칠·장 제스가 채택한 선언이다. 미국·영국·중국은 일본에 대해 강한 압력을 가하고, 만주, 타이완을 중국에 돌려주도록 할 것 등을 발표했다. 또한 우리나라의 독립 문제에 대해서도 보장했다.

그리고 이 회담에서는 독일의 주요 전쟁 범죄자들을 독일 뉘른베르크에서 재판하기로 결정했다.

뉘른베르크 재판정

일본도 재판을 받았지만 전쟁의 최고 책임자인 히로히토는 제외됐어. 단, 조건이 있었어.

나는 오늘부터 신이 아니라 인간입니다.

이게 무슨 소리예요? 이제부터 인간이라니!

일본 왕은 그때까지 일본인들에게 신으로 여겨졌는데 그것을 포기하라는 거였지.

신이라니, 말도 안 돼!

암튼 부족하지만 연합국 지도자들이 유엔을 중심으로 발 빠르게 전쟁 뒷수습에 나서 세계는 안정을 되찾게 됐어.

특히 유엔에는 '안전보장이사회'라는 기관이 있어서 세계 평화를 유지하는 데 큰 역할을 했어.

안전보장이사회는 유엔에서 국제 평화와 안전 유지를 담당하는 기관으로 1945년에 설립되었다. 5개의 상임이사국(미국·영국·프랑스·러시아·중국)과 10개의 비상임이사국으로 구성된다.

유엔은 이러한 체제를 바탕으로 제2차 세계 대전 이후 다툼이 일어나는 것을 막아 주었다.

그만 하십시오!

뿐만 아니라 전쟁 피해를 본 나라들이 다시 일어설 수 있도록 도와주었다.

어서 빨리 기운 차리세요.

정말 고맙습니다.

유엔은 국제 연맹에 비해서 나름대로 제 역할을 해 왔네요.

그러게.

이제 마지막으로 들러야 할 곳이 있어.

뭐? 어딘데?

내가 정말 꼭 가고 싶었던 곳…

어디지?

암튼 가 보자!

여긴 어디지?

여기는…!

제2차 세계 대전 때 희생된 유대 인들을 추모하고자 세운 폴란드 바르샤바의 '유대 인 위령탑'이야.

1970년에 독일의 빌리 브란트 총리가 유대 인 희생자들에게 용서를 빈 곳이지.

그래, 역사적인 장소야.

나치는 점령지 곳곳에 유대 인 강제 거주 지역인 '게토'를 만들었다. 그중 '바르샤바 게토'의 규모가 비교적 큰 편이었다.

여기는 '바르샤바 게토 봉기'라는 비극적인 사건이 일어난 곳이기도 해.

슬픔이 배어 있는 곳이구나!

바르샤바 게토 봉기

바르샤바 게토에는 약 50만 명의 유대 인들이 모여 살았는데 이들은 굶주림과 장티푸스 같은 질병으로 매달 수천 명이 희생됐다. 1942년 7월경에는 하루 평균 5,000명이 목숨을 잃기도 했다. 이런 상황에서 나치가 좋은 시설로 옮겨 준다며 유대 인들을 가스실로 보내려 했고, 이 사실을 알게 된 유대 인들이 비밀 조직의 도움을 받아 무장봉기를 일으킨 사건이다. 무자비한 나치의 진압으로 56,000여 명의 유대 인이 살해됐다.

폴란드의 제2차 세계 대전 희생자 묘지에서 묵념하는 독일의 빌리 브란트 전 총리

나도 빌리 브란트 총리처럼 이곳에서 꼭 용서를 빌고 싶었어.

아, 그래서 이곳에 오자고 했구나.

부디… 편히 쉬세요. 그리고 용서 바랍니다.

어, 요제프!

스르르

다시 몸이 흐려지고 있어!

내 임무를 다했으니 돌아갈 때가 된 거야.

이제 헤어진다고?

정말?

요제프는 자기 임무를 훌륭히 마쳤으니 서운해하지 않아도 돼.

그래. 얘들아, 나와 함께한 여행은 어땠니?

정말 의미 있는 여행이었어.

맞아! 전쟁의 의미를 알게 된 귀중한 경험이었어!

평화의 소중함을 마음 깊이 느꼈어.

난 생생한 리포트를 쓸 수 있게 됐어. 동아리 사람들을 깜짝 놀라게 해 줘야지!

선생님, 뭘 혼자
중얼거리세요?

아, 아니. 정말
재미있었다고!

이제 헤어질 시간이야.
진심으로 뉘우치고 나니
마음이 홀가분해.

다행이야.

이제 내가 빛 터널을
통과하면 너희와 선생님은
현실로 돌아갈 거야.

휘릭

요제프, 널 영원히
기억할게!

잊지 못할 거야!
고마웠어.

잘 가!

와, 돌아왔어!

컴퓨터를 보니
반가운데!

쪽

녀석, 아직도
컴퓨터 타령이네!

그래도 전쟁은 컴퓨터
게임처럼 리셋 버튼을 눌러
멈출 수 있는 가벼운 놀이가
아니란 걸 알았다고요.

그렇담
다행이고!

그리고 인간의 욕심이 이렇게 무서운 건지도 깨달았고요….

하긴 거의 대부분의 전쟁이 인간의 욕심에서 시작된 거니까…

그런데 아직도 세계 곳곳에서는 크고 작은 전쟁이 계속되고 있어. 안타까운 일이지.

타앙

탕

털썩

특히 아이들은 고아가 되어 비참한 생활을 하지. 소년병으로 끌려가기도 해.

불쌍해요. 도울 방법이 없을까요?

전쟁 피해 어린이를 돕는 유니세프라는 단체가 있어.

난 여기에 기부를 하고 있는데 아미 너도 할래?

네, 물론이죠!

나도 이제부터 용돈을 아껴서 기부해야지!

미르가 철들었구나.

너 다시 보인다!

몰랐어? 나 원래 멋진 남자야!

나도 너에게 질 수 없지!

나도 이럴 때가 아니야. 빨리 리포트를 써야지! 모두 놀랄 거야. 후훗!

* 유니세프 : '국제 연합 국제 아동 긴급 기금'을 말하며, 1946년 개발도상국 아동의 복지 향상을 위하여 설립한 국제 연합의 특별 기구.
  1965년 노벨 평화상을 수상함

전투기의 역사

비행기는 제1차 세계 대전이 일어나면서 전투기로 이용되기 시작했습니다. 전투기의 중요성을 깨달은 세계 여러 나라는 앞다투어 새로운 전투기를 만들어 냈지요. 이렇게 개발된 전투기는 전쟁의 승패에 많은 영향을 미쳤습니다. 제1차 세계 대전에서 첫선을 보인 전투기가 이후 어떻게 발달했는지 함께 살펴봅시다.

최초의 동력 비행기 발명(1903년)

라이트 형제가 비행 전 플라이어를 점검하는 모습

19세기 말, 하늘을 날고자 하는 소망은 기구와 비행선을 탄생시켰어요. 하지만 사람들은 여기서 그치지 않고 날개가 달린, 직접 조종할 수 있는 비행기를 꿈꾸었지요. 자전거 수리공이었던 미국의 라이트 형제도 1896년 이후 비행기에 관심을 갖고 연구를 시작했어요. 몇 년 후 그들은 날기에 적합한 날개와 작고 가벼우면서 힘 있는 엔진을 개발해 냈습니다. 마침내 1903년 라이트 형제가 만든 비행기인 '플라이어'가 비행에 성공했고, 이 비행기는 이후 유럽에서 큰 인기를 끌며 계속 연구·개발되었습니다.

제1차 세계 대전과 전투기의 등장(1914~1918년)

비행기는 제1차 세계 대전에서 처음으로 전투에 이용됐어요. 1914년 이전까지만 해도 비행기는 주로 감시 목적으로 사용됐는데, 전쟁에 참가한 나라들이 정찰기를 많이 활용하기 시작하면서 비행기에 고정식 기관총을 설치한 전투용 비행기가 설계되었지요. 그런데 이 방식으로 기관총이 발사될 경우 총알이 프로펠러에 부딪히곤 했어요. 이러한 점을 보완하기 위해 프로펠러에 강판을 달아 총알이 튕겨져 나오게 했습니다. 그리고 마침내 기관총 앞에 프로펠러가 없을 때만 총알이 발사되는 방식을 개발해 내기에 이르렀습니다.

SE-5a 제1차 세계 대전에 사용된 전투기 중 최고로 손꼽히는 영국 전투기. 1917년 6월 첫선을 보였으며, 최고 시속 223킬로미터까지 속도를 낼 수 있는 엔진을 달았다.

제2차 세계 대전과 프로펠러기(1939~1945년)

제2차 세계 대전은 프로펠러기(프로펠러를 회전시켜 나는 비행기)의 전성시대였어요.
제1차 세계 대전 이후에 기술자들은 날개가 무조건 얇은 것보다는 타원형으로
조금 두꺼운 것이 날기에 더 효율적이라고 판단했지요.
그래서 날개를 타원형으로 만들자 비행기를 들어올리는
힘을 많이 받을 수 있게 되었습니다.

P-51머스탱 미국 노스아메리칸
항공에서 만든 연합군 전투기. 제2차
세계 대전에 사용된 전투기 중 최고의
전투기로 인정받았다.

스핏파이어 영국 수퍼마린 사의
전투기. 적군 조종사가 놀랄 만큼
성능 좋은 전투기였다.

한국 전쟁과 제트 전투기(1950~1953년)

제2차 세계 대전이 끝날 무렵 독일과 영국에서는 연소 가스
를 내뿜어 그 힘으로 나아가는 제트 전투기를 개발했어요.
후에 영국의 제트 엔진 기술이 소련에 제공되어 미그-15를
탄생시켰고, 독일의 제트기는 미국으로 넘어가 F-86세이
버를 탄생시켰지요. 한국 전쟁은 이러한 제트 전투기로 싸
운 최초의 전쟁이었습니다.

미그-15 상승력이 탁월한 이 소련 전투기는 한국
전쟁 때 갑자기 등장해 연합군을 위협했다.

F-86세이버 1950년 한국 전쟁에서
연합군 전투기로 활동했다.

현대의 최첨단 전투기(현재)

제트 엔진의 발전에 힘입어 1947년 로켓 엔진을 단 시험 비행기인 미국의 벨X-1이 시속 1,220킬로미터로 비행
해 최초로 음속의 기록을 세웠어요. 미국은 초음속 항공기 실험을 하며 역세모꼴로 생긴 전투기가 음속을 뚫고
지나갈 때 유리하다는 사실을 알게 됐어요. 이를 바탕으로 새로운 형태의 비행기를 만들었지요. 그 결과 중동 전
쟁 및 베트남 전쟁에서 F-15, F-22와 같은 스텔스(운반체나 미사일이 적의 레이더나 전자 탐지기에 탐지되지
않게 하는 기술) 전투기가 큰 활약을 펼쳤습니다. 최근에는 무인 정찰기가 도입되어 육상의
기지에서 적의 상황을 살피는 등 기술이 날로 발전하고 있습니다.

제럴 아토믹스 RQ-1A 프레데터
무인 정찰기. 최근 일어난
보 전쟁에서 정찰기로 활약했다.

F-15 미국의 보잉 사가
제작한 전투기로, '이글'이
라고도 한다.

제1차 세계 대전과 **발명품**

제1차 세계 대전은 1914년부터 1918년까지 이어진 대규모 전쟁이었습니다. 전쟁에 참가한 나라들은 끔찍한 전쟁을 극복하기 위해 다양한 무기와 물건들을 개발했어요. 그러는 과정에서 과학 기술이 눈부시게 발전하는 성과도 있었지요. 제1차 세계 대전 동안 어떤 새로운 기술과 발명품이 등장했는지 함께 살펴볼까요?

제1차 세계 대전은 참호전

제1차 세계 대전은 방어선을 따라 판 구덩이인 '참호'에 몸을 숨기며 싸우는 참호전의 성격을 띠었습니다. 각 나라마다 지도에 선을 긋듯이 참호를 파고 지뢰와 철조망으로 참호를 보호했지요. 당시 독일과 연합국은 이런 참호를 약 800킬로미터 이상 팠어요. 참호전을 치르는 중에는 먼저 공격하는 쪽의 피해가 심했기 때문에 서로 눈치를 보게 되어 결국 전쟁이 오랜 기간 이어질 수밖에 없었습니다.

참호전을 치르는 군사들 수백만 명의 군사 덕분에 가능했던 참호전은 그만큼 많은 희생자를 낳았다.

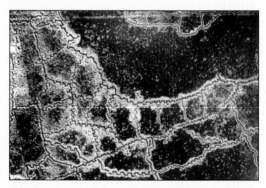

하늘에서 본 무인 지대 참호와 참호 사이의 넓은 지역을 무인 지대라고 하며, 그곳에는 생물이 거의 살지 못했다.

코트 위에 한 겹 더 덧대어져 있는 이 옷감은 총의 개머리판이 닿아 옷이 쉽게 닳는 것을 막아 주었다.

참호전에서 탄생한 트렌치 코트

많은 사람이 즐겨 입는 옷 중 하나인 트렌치 코트는 제1차 세계 대전 중 영국에서 발명됐어요. 트렌치는 '참호'라는 뜻으로, 트렌치 코트는 야전용 외투를 의미하지요. 이 외투는 춥고 습기 찬 참호 속에서 오랜 시간 머물러야 하는 영국 군인들을 위해 만들어졌습니다. 현재는 전 세계적으로 남녀노소 구분 없이 즐겨 입는 옷이 되었습니다.

바깥쪽에는 수류탄을, 안쪽에는 칼을 끼웠던 D고리. 물통이나 쌍안경을 걸고 다녔다는 얘기도 있다.

군복의 단정함을 유지하기 위해 고안된 벨트가 코트에도 활용되었다.

참호를 파는 등의 작업을 할 때 소매가 흘러내리지 않게 하기 위해 고안된 스트랩

참호전을 극복하기 위한 신무기 등장

제1차 세계 대전이 길어지자 이를 끝내기 위해 많은 신무기가 개발되었어요. 지금까지 사용되는 거의 모든 보병 전술이 이때 만들어졌지요. 소총을 이용한 총류탄이 처음 등장했고, 독일은 독가스를 사용해 최초의 화학전을 시도했어요. 또 영국은 전차를 발명했으며 라이트 형제가 발명한 비행기가 군사적 목적으로 사용되기도 했지요. 전쟁 초에는 비행기의 활약이 드물었지만, 기관총이 달린 빠른 전투기가 등장하면서 많은 나라가 전투기를 개발했어요. 독일의 체펠린이 만든 비행선은 전쟁 중 폭격기로서 영국을 공격하기도 했습니다.

전차의 등장

영국에서 최초로 만들어진 전차는 사방에 소형 대포가 달려 있어 적을 손쉽게 공격할 수 있었어요. 하지만 무겁고 속도가 느린 단점이 있었습니다.

최초의 전차 Mark-1

군용 비행선의 등장

독일의 체펠린은 1900년 최초의 군용 비행선 체펠린을 띄웠어요. 이후 1914~1918년에 88척의 군용 비행선을 만들었지만 1940년 이후에는 쓰이지 않았습니다.

최초의 군용 비행선 체펠린

총류탄의 등장

소총을 이용해 발사되는 유탄(내부에 폭약이 들어 있어서 터지는 탄환)인 총류탄이 처음 등장했어요. 제1차 세계 대전 당시 군인들은 편리하면서도 강한 화력이 발휘되는 무기를 찾기 시작했고, 그 결과 소총의 총구에 달아 발사가 가능한 총류탄이 등장한 것입니다.

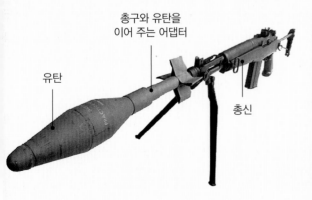

총구와 유탄을
이어 주는 어댑터

유탄

총신

반인류적 무기, 독가스의 등장

1915년 4월 독일이 프랑스와 영국을 상대로 독가스를 사용해 전쟁에서 이겼어요. 독가스는 몸에 해를 끼치거나 심하게는 목숨을 잃게 하는 독성 기체예요. 이러한 독일군의 공격에 대항해 연합군은 곧바로 방독면과 새로운 독가스를 개발해 맞섰지요. 오늘날에는 국제법으로 독가스의 사용이 금지되어 있습니다.

제1차 세계 대전 당시 독가스를 피하기 위해
방독면을 쓰고 부상병을 치료하는 간호병

세계사 연표

1882년
독일, 오스트리아, 이탈리아가
삼국 동맹을 맺다

1884년
베를린 회의가 열리다(~1885년)

1885년
인도 국민 회의가 결성되다

1894년
프·러 동맹을 맺다

1898년
파쇼다 사건이 일어나다

1904년
영·프 협상을 맺다

1905년
피의 일요일 사건이 일어나다

피의 일요일 기록화

1914년
사라예보 사건으로 제1차
세계 대전이 일어나다

1917년
3월 혁명이 일어나다
11월 혁명이 일어나다

1918년
제1차 세계 대전이 끝나다

1919년
파리 강화 회의가 열리다
중국에서 5·4 운동이 일어나

세계사

1880년	1890년	1900년	1910년

한국사

1882년
임오군란이 일어나다
미국·영국·독일과 통상 조약을 맺다

1883년
한성순보를 펴내다
태극기를 사용하다

1884년
우정국을 설치하다
갑신정변이 일어나다

1885년
광혜원을 세우다
거문도 사건이 일어나다

1889년
함경도에 방곡령을 실시하다

1894년
동학 농민 운동이 일어나다
갑오개혁이 일어나다

1895년
을미사변이 일어나다
유길준이 《서유견문》을 펴내다

1896년
아관파천이 일어나다
《독립신문》이 발간되다
독립 협회가 설립되다

1897년
대한제국이 성립되다

1899년
경인선이 개통되다

1902년
서울–인천 사이에 장거리 전화가
개통되다

1904년
한·일 의정서를 맺다

1905년
경부선이 개통되다
을사조약을 맺다
천도교가 성립되다

1907년
국채 보상 운동이 일어나다
헤이그 특사를 파견하다
신민회를 설립하다
고종 황제가 퇴위당하다

1909년
안중근이 이토 히로부미를 처단하다

1910년
일본에 국권을 빼앗기다

1919년
3·1 운동이 일어나다
상하이에 대한민국 임시
정부가 세워지다

3·1 운동 기념 조형물

〈Why? 세계사〉는, 〈Why? 한국사〉를 따로 펴냈고 또한 우리의
관점에서 세계사를 조망해 보자는 의미에서 한국사를 따로 다루지
않았습니다. 세계사 연표를 보면서 동시대 세계 역사와 우리 역사
의 흐름을 비교해 보시기 바랍니다.

1920년
국제 연맹이 설립되다

1922년
소비에트 사회주의 공화국 연방이 수립되다

1923년
뮌헨 폭동이 일어나다

뮌헨 폭동

1929년
미국에서 경제 대공황이 일어나 세계로 퍼지다

1931년
만주 사변이 일어나다

1932년
일본이 만주국을 세우다
국제 연맹 주최로 제네바 군축 회의가 열리다

1937년
중·일 전쟁이 일어나다

1939년
독일과 소련이 불가침 조약을 맺다
독일의 폴란드 침공으로 제2차 세계 대전이 일어나다

1941년
일본의 진주만 공습으로 태평양 전쟁이 일어나다(~1945년)

1943년
카이로 회담이 열리다

1944년
노르망디 상륙 작전을 실시하다

1945년
미국이 일본에 원자 폭탄을 두 번 떨어뜨린 뒤 제2차 세계 대전이 끝나다
포츠담 회담이 열리다

제2차 세계 대전 후의 참상

1945년
국제 연합(UN)이 설립되다

뉴욕에 있는 국제 연합 본부

1947년
《안네의 일기》가 출간되다

1920년　　　**1930년**　　　**1940년**

1920년
청산리 대첩이 일어나다

1926년
6·10 만세 운동이 일어나다

1929년
광주 학생 항일 운동이 일어나다

광주 학생 항일 운동 기념비

1932년
이봉창, 윤봉길 의사가 거사를 치르고 순국하다

1933년
한글 맞춤법 통일안이 제정되다

1936년
손기정이 베를린 올림픽 대회 마라톤 종목에서 우승하다

1945년
8·15 광복을 맞이하다

해방을 맞이하는 사람들

1948년
대한민국 정부가 세워지다

대한민국 정부 수립

이 당시 우리나라에서는 이런 일들이 있었구나.

알쏭달쏭 세계사

책을 열심히 읽은 친구라면 어렵지 않게 풀 수 있을 거예요.

🔑 문제 해결 도움말

1 제국주의 나라들의 식민지 정책으로 옳지 <u>않은</u> 것은?

① 식민지의 자원과 곡물 등을 강제로 빼앗아 갔다.
② 식민지와 불공정한 무역 계약을 맺었다.
③ 식민지의 경제와 문화의 발전에 힘썼다.
④ 국방과 외교권 등 식민지의 주권을 빼앗았다.
⑤ 식민지의 말과 글을 쓰지 못하게 하는 문화 말살 정책을 폈다.

• 식민지 정책이란 식민지를 자기 나라에 유익하게 이용하는 것을 목적으로 하는 정책이다.

2 다음 각 빈칸에 들어갈 나라로 바르게 짝지어진 것은?

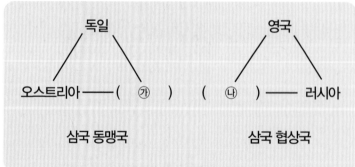

```
        독일                    영국
       /    \                  /    \
오스트리아 ── ( ㉮ )    ( ㉯ ) ── 러시아

    삼국 동맹국            삼국 협상국
```

① ㉮ 프랑스 – ㉯ 이탈리아
② ㉮ 에스파냐 – ㉯ 프랑스
③ ㉮ 이탈리아 – ㉯ 네덜란드
④ ㉮ 이탈리아 – ㉯ 프랑스
⑤ ㉮ 에스파냐 – ㉯ 네덜란드

3 다음 글이 설명하고 있는 것은 무엇일까요?

오스트리아 황태자와 황태자비가 남슬라브 민족의 통일에 방해가 된다고 여긴 세르비아의 민족주의적 비밀 결사의 계획에 의해 암살당한 사건이다. 오스트리아 정부는 이 사건에 세르비아 정부가 관련되었다고 하여 7월 28일에 세르비아에 선전 포고를 함으로써 제1차 세계 대전이 시작되었다.

① 피의 일요일 사건　　　② 사라예보 사건　　　③ 오스트리아 사건
④ 파쇼다 사건　　　　　⑤ 바스티유 감옥 습격 사건

그게 몇 개였더라?

4 다음 빈칸에 알맞은 말을 써 넣으세요.

미국의 제28대 대통령인 윌슨이 1918년 1월에 발표했다. 그리고 파리 강화 회의에서는 국제 연맹 창설을 위하여 노력한 공로로 1919년 노벨 평화상을 받았다. 그가 발표한 (　　　　　　　)에는 전쟁 후의 세계 질서를 바로잡기 위한 내용이 담겨 있다.

• 러시아 국민들은 자신들을 보살펴 준다고 믿은 차르에게 총탄 세례를 받자 이에 분노해 러시아 혁명을 일으켰다.

5 1905년에 일어나 러시아 혁명의 도화선이 된 사건은?

① 만주 사변　　　　　② 5·4 운동　　　　　③ 3·1 운동
④ 파쇼다 사건　　　　⑤ 피의 일요일 사건

6 옛 러시아의 두 정당인 볼셰비키와 멘셰비키의 설명으로 옳지 <u>않은</u> 것은?

① 볼셰비키의 지도자는 마르토프, 멘셰비키의 지도자는 레닌이다.
② 볼셰비키는 러시아 사회민주당 정통파를 가리키는 말이다.
③ 볼셰비키는 다수파, 과격한 혁명주의자의 뜻으로도 쓰인다.
④ 멘셰비키는 러시아 어로 소수파라는 뜻이다.
⑤ 멘셰비키는 무장봉기나 과격한 혁명을 반대했다.

7 러시아의 11월 혁명을 <u>잘못</u> 설명하고 있는 사람은 누구인가요?

• 러시아 혁명을 주도한 사람은 레닌으로, 볼셰비키와 멘셰비키 사이의 대립이 있었다.

11월 혁명은 '볼셰비키 혁명' 이라고도 하지.

① 서현 : 이 혁명으로 최초의 사회주의 국가가 탄생했어.
② 지용 : 이 혁명으로 다치거나 죽은 사람이 거의 없었어.
③ 유리 : 이 혁명을 주동한 사람들은 멘셰비키야.
④ 우영 : 이 혁명은 치밀한 계획 아래 조직적으로 이루어졌어.
⑤ 윤아 : 이 혁명은 볼셰비키가 임시 정부를 해체시키기 위해 일으킨 거야.

8 서로 관련된 항목끼리 선으로 연결하세요.

• 자본주의는 개인의 능력과 자유를 중시하고, 사회주의는 사회 공동체를 중시한다.

• ㉠ 자유

• ㉡ 개인의 이익

① **자본주의** •

• ㉢ 사회의 이익과 평등

• ㉣ 개인 소유

② **사회주의** •

• ㉤ 공동체 소유

• ㉥ 시장 경제

• ㉦ 계획 경제

· **무장봉기**: 지배자의 무력에 대항하여 피지배자가 전투에 필요한 장비를 갖추고 떼 지어 세차게 일어나는 일

9 간디에 대한 설명으로 옳지 <u>않은</u> 것은?

ㄱ 인도의 독립 운동가이자 위대한 사상가이다.

ㄴ 비폭력, 무저항주의 운동을 펼쳤다.

ㄷ 작가 타고르로부터 '마하트마(위대한 영혼)'라고 칭송받았다.

ㄹ 영국으로부터 독립하기 위해 무장봉기할 것을 주장했다.

ㅁ 1948년 1월 한 힌두교도 청년에 의해 목숨을 잃었다.

① ㄱ   ② ㄴ   ③ ㄷ   ④ ㄹ   ⑤ ㅁ

· **스와데시 운동**: 1906년에 시작된 국산품 애용 운동
· **스와라지 운동**: 1906년에 스와데시 운동과 함께 시작된 자치권 회복 운동
· **플라시 전투**: 1757년에 인도에서 영국의 동인도 회사군과 벵골 지역 인도군이 벌인 싸움
· **사티아그라하**: 간디가 주장한 반식민 투쟁의 근본 사상으로 '비폭력 저항'을 뜻함

10 다음 글이 설명하고 있는 것은 무엇일까요?

> 1857년, 인도에서 일어난 민족 운동으로, 인도의 많은 국민이 적극 참여했다. 이것은 동인도 회사에 고용된 인도 출신 병사들이 영국인의 차별 대우에 분노를 터뜨리면서 시작되었다.

① 세포이 항쟁   ② 스와데시 운동   ③ 스와라지 운동

④ 플라시 전투   ⑤ 사티아그라하

11 인도의 힌두교와 이슬람교의 갈등은 결국 이슬람교의 분리 독립으로 이어졌습니다. 이때 분리 독립한 나라는 어디일까요?

① 네팔   ② 아프가니스탄   ③ 티베트

④ 부탄   ⑤ 파키스탄

12 다음 글이 설명하고 있는 것은 무엇일까요?

> 미국 대통령 윌슨이 처음 주장한 민족 자결주의는 각국의 민족 문제에 대한 관심을 높이고, 식민지 민족의 해방 운동을 북돋았다. 이에 힘입어 1919년 3월 1일 서울에서, 민족 대표 33인이 작성한 〈독립 선언서〉를 낭독하고 대대적인 시위를 펼쳤다.

① 5·4 운동　　　　② 스와라지 운동　　　　③ 스와데시 운동
④ 개국 반대 운동　　⑤ 3·1 운동

※ (13~14) 다음 글을 읽고 물음에 답하세요.

> • 중국 베이징의 학생들이 일으킨 반제국주의, 신문화 운동이다.
> • 일본의 21개조 요구를 베이징 정부가 받아들인 것이 원인이 되었다.
> • 이 운동은 점차 국산품 애용, 일본 상품 불매 등을 주장했다.

• 베이징의 학생들은 일본의 무리한 요구를 받아들인 정부에 대항해 1919년 5월 4일, 텐안먼 광장에서 투쟁했다.

13 위 글이 설명하는 것은 무엇일까요?　(　　　　　　　　)

14 위 운동에 영향을 준 사건을 모두 고르세요.

① 사라예보 사건　　② 3·1 운동　　　③ 뮌헨 폭동
④ 러시아 혁명　　　⑤ 만주 사변

15 다음 글이 설명하고 있는 사람은 누구일까요?

> 중국 혁명의 선두자이다. 중화민국의 초대 임시 총통을 지냈으며, 국민당 정부 시대에는 '나라의 아버지'로서 최고의 존경을 받았다.

이후 당권을 장 제스에게 물려주었지.

• 히틀러는 자신의 연설 무대를 직접 연출했으며, 거울로 자신이 연설하는 모습을 확인하기도 할 정도로 연설과 선동에 관심을 기울였다.

16 다음은 히틀러에 관한 설명입니다. 다음 중 틀린 내용을 고르세요.

히틀러는 ㉠ 나치 당의 최고 책임자로, 독일인의 우월성을 강조하며 ㉡ 유대 인을 모조리 없애려는 정책을 펼쳤다. ㉢ 제2차 세계 대전을 일으킨 장본인인 그는 공교롭게도 ㉣ 연설 능력이 부족해 대중을 부추기기가 어려웠다. 독일이 전쟁에 질 기미가 보이자 ㉤ 베를린의 지하 벙커에서 자살했다.

① ㉠   ② ㉡   ③ ㉢   ④ ㉣   ⑤ ㉤

17 1937년, 제국주의 야망을 펼치기 위해 방공 협정에 가담한 나라끼리 연결된 것을 고르세요.

① 이탈리아 – 독일 – 일본   ② 독일 – 프랑스 – 미국
③ 일본 – 독일 – 프랑스   ④ 포르투갈 – 이탈리아 – 일본
⑤ 포르투갈 – 에스파냐 – 네덜란드

• 현재 중국 정부는 일본의 전쟁 범죄를 세계에 알리기 위해, 이 부대 시설을 유네스코 세계 유산으로 등록하려 하고 있다.

18 다음 글이 설명하는 악명 높은 일본의 부대는?

이 부대에서 수많은 사람이 생체 실험으로 고통스럽게 숨졌다. 일본인들은 실험 대상을 마루타(통나무라는 뜻의 일본어)라고 불렀다. 중국의 헤이룽장 성 하얼빈에 있다.

① 공군 부대   ② 815 부대   ③ 731 부대
④ 해군 부대   ⑤ 포병 부대

※ (19~20) 다음 사진을 보고 물음에 답하세요.

19 위 사진은 유대 인 대학살이 이루어진 대표적인 강제 수용소입니다. 폴란드에 위치한 이곳의 이름은 무엇일까요?

• 폴란드 어로는 오슈비엥침 수용소이다.

20 빈칸에 들어갈 알맞은 말을 쓰세요.

> 나치 독일은 유대 인들을 강제 수용소로 모조리 끌고 가 강제 노동을 시킨 다음 가스실로 데려가 처참하게 죽였다. 이러한 유대 인 말살 정책에 따른 대규모 학살을 (   )라고 한다.

21 다음 글이 설명하는 작품은 무엇일까요?

• 이 소녀는 강제 수용소에 수감되어 있다가 1945년 16세의 나이에 장티푸스로 목숨을 잃었다.

> 제2차 세계 대전 당시 유대 인 소녀가 독일군을 피해 2년 동안 숨어 지내면서 쓴 글이다. 사춘기 소녀의 심리적 성장 과정과 어른들 세계에 대한 비판, 곤경에 처해서도 꺾이지 않는 꿋꿋한 용기가 꾸밈없고 품격 높은 문장으로 쓰여 있다.

① 초콜릿 전쟁　　　　② 전쟁과 평화　　　　③ 안네의 일기
④ 무기여 잘 있거라　　⑤ 지상에서 영원으로

• 일본이 무조건 항복을 하기 직전인 1945년 8월 6일과 9일에 히로시마와 나가사키에 원자 폭탄이 떨어져 막대한 인명과 재산 피해를 입었다.

22 일본은 제2차 세계 대전을 치르던 중 1945년에 미국에 무조건 항복을 했습니다. 그 결정적인 계기로 옳은 것을 고르세요.

① 평화를 사랑해서 전쟁을 멈추려고
② 다른 나라 사람들이 전쟁으로 고통받는 게 싫어서
③ 아시아의 평화와 나아가 세계 평화를 위해서
④ 우리나라를 빨리 독립시키려고
⑤ 미국이 히로시마와 나가사키에 떨어뜨린 원자 폭탄 때문에

23 유엔 안전보장이사회를 구성하는 5개의 상임이사국이 바르게 짝지어진 것은?

① 미국·영국·프랑스·러시아·일본
② 그리스·영국·프랑스·러시아·중국
③ 미국·스위스·프랑스·러시아·중국
④ 미국·영국·프랑스·러시아·중국
⑤ 미국·영국·프랑스·러시아·이탈리아

알쏭달쏭 세계사 문제 정답

🌸 찾아보기

ㄱ

가미카제 165
간디 68, 79
게슈타포 136
공산주의 59, 107
국제 연맹 137, 173
국제 연합 172

ㄴ

나치 당 123, 126
네루 87
노르망디 상륙 작전 167, 168
니콜라이 2세 41

ㄷ

대공황 131
대동아 공영권 142
대서양 헌장 175
대중국 21개조 요구 105
대한민국 임시 정부 99
독일 공산당 132
독일 국가 사회주의 노동당 126
돌격대 127
동인도 회사 70

ㄹ

런던 회의 124
레닌 49
레지스탕스 166
로카르노 조약 124, 137
루스벨트 175

ㅁ

마르크스주의 49, 56
만주 사변 108
멘셰비키 50
무솔리니 120, 139, 167
무스타파 케말 115
뮌헨 폭동 128
미드웨이 해전 165

ㅂ

바르샤바 게토 봉기 182
바이마르 공화국 125
바 하두르 샤 2세 73
발칸 전쟁 26

방공 협정 141
벌지 전투 168
범슬라브주의 25
범아프리카주의 118
베르사유 체제 124
베를린 회의 19
베트남 국민당 112
벵골 분할령 77
볼셰비키 48, 59
붉은 군대 57
빌리 브란트 182

ㅅ

사라예보 사건 30
4월 테제 53
사회주의 60, 130
사티아그라하 69, 81, 96
삼국 동맹 20
삼국 협상 20
3월 혁명 47
3·1 운동 92, 105
세브르 조약 35, 115
세포이 항쟁 71
소비에트 사회주의 공화국 연방 59
수카르노 113
스와데시 운동 77
스와라지 운동 77
스탈린 61, 177
14개조 평화 원칙 36
11월 혁명 49, 59
쑨 원 107

ㅇ

아우슈비츠 148
아타튀르크 116
안네의 일기 152
안전보장이사회 181
얄타 회담 177
5·4 운동 105
윌슨 36, 92
유관순 96
유니세프 185
유대 인 대학살 145
유엔 173
인도 국민 회의 76
인도 제국 73

ㅈ

자글룰 파샤 118
자본주의 60, 130
장 제스 107
전체주의 120
제국주의 17, 103
제네바 군축 회의 137
제1차 세계 대전 30, 105, 124, 173
제2차 세계 대전 102, 119, 160
진주만 공습 163

ㅊ

참호전 34
추축국 162
731 부대 144

ㅋ

카스트 제도 89
카이로 선언 180
캘커타 대회 77

ㅌ

태평양 전쟁 108, 142, 162
터키 공화국 116
테헤란 회담 177
트로츠키 55

ㅍ

파리 강화 회의 35, 124
파쇼다 사건 19, 117
파시스트 139
포츠담 회담 177, 179
프로이센–프랑스 전쟁 20
플라시 전투 70
피의 일요일 사건 41

ㅎ

하켄크로이츠 126
호찌민 110
홀로코스트 148
히틀러 120, 123
히틀러 유겐트 150